READWELL'S

CW00958422

LEARN BENGALI
IN A MONTH

Easy Method of Learning Bengali
Through English Without a Teacher

N.K. Guha

Readwell Publications
NEW DELHI-110008

Published by :
READWELL PUBLICATIONS
B-8, Rattan Jyoti, 18, Rajendra Place
New Delhi-110 008 (INDIA)
Phone : 5737448, 5712649, 5721761
Fax : 91-11-5812385
E-mail : readwell@sify.com
           newlight@vsnl.net

ISBN 81-87782-03-X

Printed at : Arya Offset Press, New Delhi.

CONTENTS

Preface	...	5
1. Vowels	...	7
2. Alphabet	...	10
3. Reading and Writing	...	14
4. Conjuncts	...	21
5. Pronunciation	...	28
Revision Lesson (Vowels)	...	31
6. Way to Language	...	43
7. Cardinal Numbers	...	48
8. Nouns, Adjectives and Pronouns	...	54
9. Verb	...	59
10. Gender	...	67
11. Number	...	72
12. Case	...	76
13. Declension	...	85
14. Conjugation of Verbs	...	93
15. Use of Idiomatic Words	...	102
16. Idiomatic Use of Particles	...	122
17. Idioms for Everyday Interest	...	127
18. Voice	...	135
19. Bengali Conversation	...	138

20. Idioms and Proverbs   ... 146

21. Some Specimens of Translation   ... 154

22. Passages for Translation   ... 168

23. Specimens of Bengali Prose and Poetry   ... 173

24. How to Write Letters in Bengali   ... 183

Vocabulary   ... 186

PREFACE

With the growing popularity of learning regional languages among Indians this title "LEARN BENGALI IN A MONTH" will invariably cater to the needs of the learners, both Indians and foreigners, to know and learn Bengali language within the shortest period of time with satisfaction.

Attempts have been made to lay out the book by carefully planning its various lessons incorporating grammar and famous passages of eminent writers and poets, so that the learners both Indians and foreigners, can find it interesting and absorbing.

It is needless to say that Bengali has occupied one of the topmost places in India among the regional languages. The famous writers like Bankim Chandra Chatterji, Sarat Chandra Chatterji, Rabindranath Tagore (Nobel-laureate) and many others have produced first class literature which are popular among Indians and foreigners. It is natural therefore that there will be more and more students and learners who will be eager to be attracted with the inspiring song of Bankim Chandra, the rich and enchanting melody of Rabindranath, Kazi Nazrul (*Rabindra Sangeet and Nazrul*

Geeti) and subtle analysis of human mind in the facile writings of Sarat Chandra, the famous novelist.

The book, we hope, will be keenly appreciated by learners, students—Indians and foreigners as they will enter the *treasure island* of Bengali literature, one of the sweetest of world languages.

—*Author and Publishers*

LESSON 1

VOWELS

CONSONANTS—1

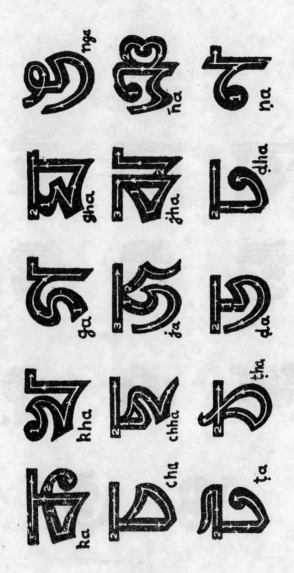

CONSONANTS—2

ta, tha, da, dha, na

pa, bha, ba, bha, ma

ya, la, sha, sa, sa, ha

LESSON 2

Alphabet

Vowels (Swarbarna)

অ	আ	ই	ঈ
a,o	a	i	i
উ	ঊ	ঋ	এ
u	u	ri	e, ae

ঐ	ও	ঔ
ai, oi	o	au, ou

অ	আ	ই	ঈ
উ	ঊ	ঋ	এ
ঐ	ও	ঔ	

Read :—

ই এ ঋ ও উ অ

ঈ ঐ ঊ ঔ আ

Vowel are of two kinds :

(i) Short (hraswa), and

(ii) Long (dirgha)

(i) Short Vowels : অ (a, o), ই (i), উ (u) and ঋ (ri)

(ii) Long Vowels : আ (a), ঈ (i), ঊ (u), এ (e, ae), ঐ (ai. oi), ও (o), ঔ (au, ou)

Short vowels are to be pronounced short and long vowels, long.

Consonants (Byanjan Barna)

[অ (a) is inherent in every consonant-sound but while pronouncing words this final vowel-sound is often dropped.]

ক্	খ্	গ্	ঘ্	ঙ্
k	kh	g	gh	n
ক	খ	গ	ঘ	ঙ
ka	kha	ga	gha	na

চ	ছ	জ	ঝ	ঞ
cha	chha	ja	jha	na
ট	ঠ	ড	ঢ	ণ
ta	tha	da	dha	na
ত	থ	দ	ধ	ন
ta	tha	da	dha	na
প	ফ	ব	ভ	ম
pa	pha	ba	bha	ma
য	র	ল	ব	শ
ya (ja)	ra	la	ba, (wa,va)	sa
ষ	স	হ	ং	ঃ
sa	sa	ha	m	h
•	ড়	ঢ়	য়	
~	ra	rha	ya	

Read :—

ক	খ	গ	ঘ	ঙ
চ	ছ	জ	ঝ	ঞ
ট	ঠ	ড	ঢ	ণ
ত	থ	দ	ধ	ন

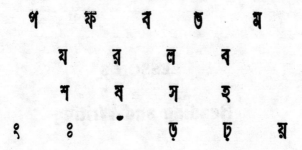

প ফ ব ভ ম

য র ল ব

শ ষ স হ

ং ঃ ঁ ড় ঢ় য়

[Bengali alphabet looks identical with Devanagari.]

Read :—

গ ল ব ক ঘ

চ খ ঙ ঝ ঞ

ত ছ ট জ ঃ

ঠ ধ হ শ ভ

ন থ ণ ঢ

য ফ র ষ হ

ঢ দ স ম ং

ঢ় য় ড় প

LESSON 3

Reading and Writing

কর	—kar(a)	—do
পণ	—pan(a)	—oath
নর	—nar(a)	—man
গণ	—gan(a)	—people
দশ	—das(a)	—ten
জন	—jan(a)	—man
এক	—aek(a)	—one
মন	—mon(a)	—mind
কর পণ	—kara pan	—Take oath
নর গণ	—nara gan	—All men
দশ জন	—das jan	—Ten men
এক মন	—aek man	—One mind.

With the exception of 'অ' all the vowels have their distinctive signs as follows :—

আ (া)   ই (ি)   ঈ (ী)   উ ( )

ঊ ( )   ঋ (ৃ)   এ (ে)   ঐ (ৈ)

ও (ো)   ঔ (ৌ)

আ (া)	বাবা (baba) Father	কাকা (kaka) Uncle
ই (ি)	দিন (din) Day	ডিম (dim) Egg
ঈ (ী)	পাখী (pakhi) Bird	ভগিনী (bhagini) Sister
উ ( )	টুপি (tupi) Hat	মুনি (muni) Sage
ঊ (ূ)	ভূমি (bhumi) Land	পূজা (puja) Worship
ঋ (ৃ)	মৃগ (mriga) Deer	ঘৃণা (ghrina) Hatred
এ (ে)	দেশ (des) Country	মেঘ (megh) Cloud
ঐ (ৈ)	বৈকাল (boikal) Afternoon	দৈনিক (doinik) Daily
ও (ো)	ঘোড়া (ghora) Horse	পোষাক (posak) Dress

15

ঔ (ৌ) নৌকা (nauka) মৌমাছি (maumachhi)

Boat Bee

ং অংশ (angsa) সিংহ (singha)

Part Lion

ঃ দুঃখ (duhkha) পুনঃপুনঃ (punah punah)

Sorrow Repeatedly

ঁ চাঁদ (chand) দাঁত (dant)

Moon Tooth

ক	কা	কি	কী	কু	কূ	কৃ
ka	ka	ki	ki	ku	ku	kri
কে	কৈ	কো	কৌ	কং	কঃ	কঁ
ke	kai	ko	kau	kam	kah	ka
খ	খা	খি	খী	খু	খূ	খৃ
kha	kha	khi	khi	khu	khu	khri
খে	খৈ	খো	খৌ	খং	খঃ	খঁ
khe	khai	kho	khau	khaim	khah	kha
গ	গা	গি	গী	গু	গূ	গৃ
ga	ga	gi	gi	gu	gu	gri
গে	গৈ	গো	গৌ	গং	গঃ	গঁ
ge	gai	go	gau	gam	gah	ga

ঘ	ঘা	ঘি	ঘী	ঘু	ঘূ	ঘৃ
gha	gha	ghi	ghi	ghu	ghu	ghri
ঘে	ঘৈ	ঘো	ঘৌ	ঘং	ঘঃ	ঘঁ
ghe	ghai	gho	ghau	gham	ghah	gha

চ	চা	চি	চী	চু	চূ	চৃ
cha	cha	chi	chi	chu	chu	chri
চে	চৈ	চো	চৌ	চং	চঃ	চঁ
che	chai	cho	chau	cham	chah	cha

গ, র, শ and হ change their usual forms when they are combined with উ as :—

গ্+উ=গু (গ্ু) gu   গুণ (gun)—quality

র্+উ=রু (র্ু) ru   রুটি (ruti)—bread

র্+উ=রূ (র্ূ) ru   রূপা (rupa)—silver

শ্+উ=শু (শ্ু) su   শুনা (suna)—to hear

হ্+উ=হু (হ্ু) hu   হুল (hul)—sting

হ also takes a special form when it combines with ঋ; as—হ্+ঋ (   )=হৃ (হ্ৃ) hr in হৃদয় (hridaya)—heart.

Read :—

মা (ma)—(mamma) mother

বাবা (baba)—(papa) father

মাতা (mata)—mother

পিতা (pita)—father

ভাই (bhai)—brother

বোন (bon)—sister

ভ্রাতা (bhrata)—brother

ভগ্নী (bhagni)—sister

দাদা (dada)—elder brother

দিদি (didi)—elder sister

মামা (mama)—maternal uncle

মামীমা (mamima)—maternal aunt

দাদু (dadu)—grand father

দিদিমা (didima)—grand mother

কাকা (kaka)—paternal uncle

কাকীমা (kakima)—paternal aunt

ছেলে (chhele)—boy

মেয়ে (meye)—girl

খোকা (khoka)—male-child

খুকী (khuki)—female-child

যুবক (jubak)—young man

যুবতী (jubati)—young woman

পাকা আম (paka am)—ripe mango

কাঁচা লিবু (kancha lebu)—green lemon

সাদা গরু (sada goru)—white cow

কালো ছাগল (kalo chhagol)—black goat

বড় হাতী (baro hati)—big elephant

ছোট বাছুর (chhoto bachhur)—young calf

নূতন বই (nutan boi)—new book

পুরাতন জুতা (puratan juta)—old shoe

লাল কলম (lal kalam)—red pen

নীল কালি (nil kali)—blue ink

আমার মা (amar ma)—my mother

তোমার বাবা (tomar baba)—your father

তাহার ভাই (tahar bhai)—his or her brother

উহার বোন (uhar bon)—his or her sister

এখানে আস (ekhane asho)—come here

ওখানে যাও (okhane jao)—go there

উপরে উঠ (upare utha) – go up

ভিতরে বস (bhitare basho)—sit inside

নীচে রাখ (niche rakho)—keep it on the grouud

কাছে দাঁড়াও (kachhe danrao)—stand nearby

সবল ছেলে (sabal chhele)—strong boy

রোগা মেয়ে (roga meye)—sickly girl

19

বোকা সিংহ (boka singha)—foolish lion

চালাক শিয়াল (chalak shial)—clever jackal

গরম জল (garam jal)—hot water

নরম বিছানা (naram bichhana)—soft bed

রাম বাড়ী যায় (Ram bari jay) (a)
Ram goes home

সে কথা বলে (se katha bale)
He or she speaks

তুমি কি কর (tumi ki karo)
What do you do ?

আমি গান গাই (ami gan [a] gai)
I sing

তোমারা কি কর (tomara ki karo)
What do you do ?

আমরা কাজ করি (amara kaj kari)
We work

আপনারা কি করেন (apanara ki karen)
What do you do ?

আমরা বই পড়ি (amara boi pari)
We read books

LESSON 4

Conjuncts (সংযুক্ত বর্ণ)

য, র, ল, ব, ন and ম join with other consonants as follows :—

য (্য)—	ক্য	খ্য	গ্য	ঘ্য	চ্য	...etc.
y—	kya	khya	gya	ghya	chya	
র (্র)—	ক্র (ক্র)	গ্র	ঘ্র	জ্র	ত্র (ত্র)	...etc.
r—	kra	gra	ghra	jra	tra	
ল (্ল)—	ক্ল	গ্ল	ম্ল	প্ল	ল্ল	...etc.
l—	kla	gla	mla	pla	lla	
ব (্ব)—	ক্ব	জ্ব	ত্ব	দ্ব	ন্ব	...etc.
w—	kwa	jwa	twa	dwa	nwa	
ন (্ন)	গ্ন	ন্ন	ত্ন	স্ন	হ্ন	....etc.
n—	gna	nna	tna	sna	hna	
ম (্ম)—	ক্ম	ত্ম	দ্ম	ন্ম	স্ম	...etc
m—	kma	tma	dma	nma	sma	
রেফ (´)—	র্ক	র্খ	র্গ	র্ঘ	র্চ	...etc.
r—	rka	rkha	rga	rgha	rcha	

Practice :—

বাক্য (bakya)
sentence

খাদ্য (khadya)
food

মিথ্যা (mithya)
lie

শত্রু (satru)
enemy

চন্দ্র (chandra)
moon

চক্র (chakra)
wheel

ম্লান (mlan)
faded

ক্লেশ (kles)
trouble

প্লীহা (pliha)
spleen

ঈশ্বর (Iswar)
God

বিদ্বান (bidwan)
learned

বিশ্ব (biswa)
world

ভগ্ন (bhagna)
broken

যত্ন (jatna)
care

রত্ন (ratna)
jewel

জন্ম (janma)
birth

পদ্ম (padma)
lotus

রশ্মি (rasmi)
ray

দর্জি (darji)
tailor

মুর্গী (murgi)
hen

মূর্খ (murkha)
foolish

22

অন্যায় কার্য্য (anyaya kariya)—improper act

মিথ্যা বাক্য (mithya bakya)—untrue word

দরিদ্র ছাত্র (daridra chhatra)—poor student

প্রথম শ্রেণী (pratham sreni)—first class

শ্রীহীন পল্লী (srihin palli)—unprosperous village

পবিত্র জন্মভূমি (pabitra janmabhumi)—sacred
motherland

অসীম ত্যাগ (asim tyag)—inestimable sacrifice

সার্থক জীবন (sarthak jiban)—successful life

ভগ্ন স্বাস্থ্য (bhagna swasthya)—broken health

রুগ্ন দেহ (rugna deha)—ill health

বিশ্ব মিত্র (biswa mitra)—friend of the world

প্রবল জ্বর (prabal jwar)—high fever

ক্লান্ত শরীর (klanta sharir)—tired body

পরিশ্রমী গ্রামবাসী (parisrami gramabasi)—diligent
villager

মেধাবী ছাত্র (medhabi chhatra)—meritorious
student

বহুমূল্য রত্ন (bahumulya ratna)—precious jewel

Harder Conjuncts :—

ক্+ত=ক্ত (kta)

গ্+ধ=গ্ধ (gdha)

ক+ষ=ক্ষ (ksa)

ঙ্+ক=ঙ্ক (nka)

ঙ্+গ=ঙ্গ (nga)

ঞ্+চ=ঞ্চ (nchha)

ঞ্+ছ=ঞ্ছ (nchha)

ঞ্+জ=ঞ্জ (nja)

জ্+ঞ=জ্ঞ (jna)

দ্+দ=দ্দ (dda)

দ্+ধ=দ্ধ (ddha)

ব্+দ=ব্দ (bda)

ব্+ধ=ব্ধ (bdha)

শ্+চ=শ্চ (scha)

শ্+ছ=শ্ছ (schha)

হ্+ম=হ্ম (hma)

ষ্+ক=ষ্ক (ska)

ষ্+প=ষ্প (spa)

ক্+ক=ক্ক (kka)

ক্+র=ক্র, ক (kra)

ত্+ত=ত্ত (tta)

ত্+থ=ত্থ (ttha)

ত্+র=ত্র, ত্র (tra)

ত্+র্+উ=ত্রু (tru)

ণ্+ড=ণ্ড (nda)

হ্+ণ=হ্ণ (hna)

হ্+ন=হ্ন (hna)

ষ্+ট=ষ্ট (sta)

স্+ক=স্ক (ska)

স্+ত=স্ত (sta)

স্+থ=স্থ (stha)

স্+প=স্প (spa)

ন্+ত=ন্ত (nta)

ন্+ত্+উ=ন্তু (ntu)

স্+ত=স্ত (sta)

স্+ত্+উ=স্তু (stu)

শক্ত লাঠি (sakta lathi) —hard stick

গুপ্ত পথ (gupta path)—secret way)

উত্তর দিক (uttar dik)—northern direction

দক্ষিণ বাহু (dakkhin bahu) —right hand

উলঙ্গ বালক (ulangá balak)—naked boy

বৃদ্ধ পিতা (briddha pita)—old father

কৃষ্ণ সর্প (krisna sarpa)—black snake

উচ্চ বৃক্ষ (uchcha brikkha)—high tree

তুচ্ছ ব্যাপার (tuchchha byapar)—trifling matter

বিশ্বাসী ভৃত্য (biswasi bhritya)—faithful servant

জাতীয় উত্থান (jatiya utthan)—national rising

অন্ধ বালক (andha balak) —blind boy

চঞ্চল বালিকা (chanchal balika)—fickle-minded girl

উত্তম প্রস্তাব (uttam prastab)—good proposal

দুষ্ট প্রকৃতি (dusta prakriti)—wicked nature

শিষ্ট ছাত্র (sista chhatra)—well-behaved student

নিষ্ফল ক্রোধ (nisfal krodh)—impotent anger

শুষ্ক কাষ্ঠ (suska kastha)—dry wood

জ্বলন্ত দৃষ্টান্ত (jwalanta dristanta)—glaring example

উষ্ণ প্রস্রবণ (usna prasraban)—hot spring

Practice :—

পরের দ্রব্য লইও না
(parer drabya loio na)
Do not take things which are not your own.

গ্রামের লোক শ্রমশীল
(gramer lok sramasil)
The village people are diligent.

যেমন কর্ম তেমন ফল
(jaemon karma taemon phal)
As you sow, so you reap.

পদ্ম ফুল জলে জন্মে
(padma phul jale janme)
Lotus grows (blooms) in water

মুর্খের সহিত বৃথা তর্ক করিয়া লাভ নাই
(murkher sahit britha tarka koria lab nai)
It is useless to argue with a fool.

বিদ্বানের সর্বত্র সম্মান হয়
(biddaner sarbatra samman hay [a])
The learned are honoured everywhere.

26

এক গ্লাস জল আন

(aek glas jal ano)

Get me a glass of water.

আলস্য সকল দোষের মূল

(alasya sakal doser mul)

Idleness is the root of all evils.

বৃথা তর্ক করিও না

(britha tarka korio na)

Do not argue uselessly.

LESSON 5

Pronunciation

(উচ্চারণ)

VOWEL

স্বরবর্ণ (Swarbarna)

অ (a) is pronounced like English 'a' in *talk, tall* etc. Sometimes it is very short like English 'o' in *hot*, as —জল (jal) water, ধন (dhan) wealth, রণ (ran) war etc. It is also pronounced like ও (o), and this is also a short vowel, as—কবি (kobi) poet, অনুমতি (onumati) permission etc.

The ending 'অ' of verbs is often pronounced like 'o' ; as—কর (karo) do, করিতেছ (koritechho).

আ (a) has the long sound of English 'a' as in the words *large, star, charge* etc, for example— আম (am) mango, হাত (hat) hand, কাজ (kaj) work, etc.

ই (i) has the short sound of English 'i' in *pin*, *him*, *if*, etc. as—ইট (it) brick, তিনি (tini), he (respectful), নিয়ম (niyam) law, rule etc.

ঈ (i) has the long sound of English 'ee' in *meet*, *feet*, *reel* etc. as—বীর (bir) hero, কীট (kit) worm, দীপ (dip) lamp etc.

উ (u) has the short sound of English 'u' in *put*, *pull* etc. e.g. উট (ut) camel, মুখ (mukh) face, পুকুর (pukur) pond etc.

ঊ (u) has the long sound of English 'oo' in *moon*, *food*, *good* etc. e.g. কূপ (kup) well, hole ; তূন (tun) quiver, রূপ (rup) form, beauty etc.

ঋ (r, ri) resembles the sounds of 'ree' in English words, *street*, *free*, *creed* etc. e.g. ধৃত (dhrita) caught, মৃত (mrita) dead, ঘৃণা (ghrina) hatred etc.

এ (e, ae) is pronounced both long and short; 'e' in *let*, *met* and English 'a' in *late* and *mate* etc. e.g. বেশ (bes) well, কেশ (kesh) hair etc.

'এ' is sometimes pronounced like English 'a' in *cat*, *mat*, *bag*, *man* etc. e.g. এক (aek) one, বেড়া (baera) hedge, কেমন (kaemon) how etc.

ঐ (oi, ai) there is no similar letter in English which pronounces 'ঐ' accurately. It is a diphthong pronounced 'oi', 'ai' e.g. তৈল (toil) oil, তৈয়ার (toiyar) making etc.

ও (o) has the sound of 'o' in English *go*, *so*, *low* etc. e.g. সোনা (shona) gold, বোকা (boka) fool, কোমল (komal) soft etc.

ঔ (au, ou) is a diphthong and has the mixed sound of অ and উ (au), as—নৌকা (nauka) boat, মৌনী (mauni) silent etc.

CONSONANTS
ব্যঞ্জনবর্ণ (Byanjan-barna)

A consonant (ব্যঞ্জনবর্ণ) cannot be fully pronounced without the help of a vowel (স্বরবর্ণ). অ (a) remains inherent in every consonant in its ordinary form, as— ক (k+a)=ক্+অ, খ (kh+a)= খ্+অ, গ (g+a)=গ্+অ etc.

But when a consonant is without any vowel it takes a *hasanta* (্) below it and it is written as ক্, খ্, গ্ etc.

ক (ka) has the sound of English 'c' in *call, hall* etc. as—কখন (kakhon) when, কলম (kalom) pen, কবিতা (kabita) poem etc.

খ (kha) the mixed sound of English 'k and h' uttered all at once, as— খাল (khal) canal, খেলা (khaela) play, খাটা (khata) to labour.

গ (ga) has the sound of 'g' in *God, go, give* etc., as—গলা (gala) throat, গাধা (gadha) ass, গাছ (gachh) tree etc.

ঘ (gha) has the mixed sound of English 'g and h' as—ঘর (ghar) house, ঘোড়া (ghora) horse etc.

ঙ (oongah, n) has the nasal sound of English 'ng' in *long, sing, song* etc.

চ (cha) has the sound of 'ch' in English *chalk, chap* etc. as—চার (char) four, চোখ (chokh) eye.

ছ (chha) has the mixed sound of 'ch and h', as— ছাতা (chhata) umbrella, ছায়া (chhaya) shadow.

জ (ja) has the sound of 'j' in *joy, James,* and *judge* etc., as—জল (jal) water, জয় (jay) victory etc.

ঝ (jha) has the mixed sound of 'j and h', as—ঝড় (jhar) storm.

ঞ (ing-ab, n) has the mixed nasal sound of ই and অঁ. It occurs only with চ, ছ, জ, ঝ and is pronounced like a simple 'n' as in *punch, lunch* etc. Its independent use is rare. যাচ্ঞা (jachna) solicitation. পঞ্চম, পঞ্চম (pancham) fifth.

ট (ta) sounds like 't' in *tall, toy, tea, tear* etc. as—টক (tok) sour, টাট্কা (tatka) fresh, টাকা (taka) rupee etc.

ঠ (tha) has the mixed sound of English 't and h', as—ঠক (thak) cheat, ঠাকুর (thakur) idol, ঠিকানা (thikana) address etc.

ড (da) is pronounced like English 'd' in *dog, doll, deed* etc. as—ডাক (dak) call, ডিম (dim) egg etc.

ঢ (dha) has the mixed sound of English 'd and h', as—ঢাক (dhak) drum, ঢাল (dhal) shield, ঢেউ (dheu) wave etc.

ণ (murdhanya-na, na). Properly it is an 'n' sound made in the same way as 't' and 'd'. But in Bengali it is pronounced like an ordinary 'n' (ন), as—অণু (anu) atom etc.

ত (ta) has no similar sound in English. e.g. তালা (tala) lock, তারা (tara) star etc.

থ (tha) has the mixed sound of English 't and h', as—*thorn, thin* etc. e.g. থালা (thala) dish, থাবা (thaba) claw etc.

দ (da) has the sound of 'th' in *the, that, then* etc. e.g. দেশ (des) country, দিন (din) day, দান (dan) gift etc.

ধ (dha) has the mixed sound of English 'd and h', e.g. ধন (dhan) wealth, ধান (dhan) paddy, ধূলা (dhula) dust etc.

ন (dantya-na, na) sounds like English 'n' in the words *no, not, narrow, nothing* etc. as—নখ (nakh) nail, নদী (nadi) river, নরম (naram) soft etc.

প (pa) is pronounced like English 'p' in *paw, pen, pot* etc. as—পথ (poth) path, পতাকা (pataka) flag, পুতুল (putul) doll etc.

ফ (pha) has the sound of 'f' in *fog, fall, food* etc. as—ফল (fal) fruit, ফুল (ful) flower, ফসল (fasal) crop etc.

ব (ba) sounds like English 'b' in *ball, box, boon* etc. as—বক (bak) crane, বন (ban) forest etc.

ভ (bha) has the mixed sound of English 'b and h' as—ভাল (bhalo) good, ভাষা (bhasa) language, etc.

ম (ma) sounds like 'm' in *may, me, mean* etc. as— মন (mon) mind, মত (mot) opinion, মা (ma) mother.

য (ya, ja) generally sounds like English 'j' in *joy, James* etc. and there is no difference between জ and য in pronunciation ; as—যখন (jakhan) when, যুবক (jubak) young man, যোগাযোগ (jogajog) communication etc.

র (ra) has the sound of English 'r' in *raw, rat, rain* etc. as—রঙ (rang) colour, রস (ros) juice, taste etc.

ল (la) sounds like English 'l' in *lot, lord, long* etc. as—লতা (lata) creeper, লাঠি (lathi) stick etc.

ব (ba, wa) has the sound of English 'b' in *book, but, boy* etc. as—বর (bar) bridegroom, বধূ (badhu) bride, বিমান (biman) aeroplane etc.

শ (sa) has the sound of 'sh' in English *shop*, *ship*, *short* etc. and is called talabya-sha (palatal sha), because it is uttered with the aid of the palate ; e.g. শাপ (sap) curse, শরীর (sarir) body etc.

ষ (sa) is the original cerebral pronuciation with the tip of the tongue curled up. It is in name murdhanya-sha (or celebral sha) but is pronounced like 'শ' (s) in Bengali ; as - ষোড়শ (soras) sixteenth, ষোল (sola) sixteen etc.

স (sa) has the sound of hissing 's' in English *son*, *song, sum* etc., but in Bengali it is pronounced like শ (sha) ; as—সখা (shakha) companion, সাধু (shadhu) saint, সূতা (shuta) thread etc.

হ (ha) sounds like 'h' in English *hot*, *hall*, *hawk* etc. as—হাত (hat) hand, হাসি (hasi) laughter, হিসাব (hisab) account etc.

ং (anooswar, m) resembles the sound of 'ng' in English *song,long*, *wrong* etc. as—অংশ (amsha) part, বংশ (bamsha) race etc.

ঃ (bisarga, h) is like a final breathing 'h' as পুনঃ, যশঃ etc. In Bengali the consonant preceded by the bisarga (ঃ) is doubled in pronunciation ; as—দুঃখ (dukkha) sorrow, দুঃসাহস (dussahas) etc.

(chandra-bindu) gives a nasal sound to the letter at the top of which it is put ; e.g. চাঁদ (chand) the moon, কাঁধ (kandh) shoulder etc.

ড় (ra) is pronounced like ড (d) but instead of striking the tongue at the palate and making the sound there, as—বড় (baro) big, ঘোড়া (ghora) horse, ঘড়ি (ghari) clock etc.

ঢ় (rha) is the aspirated form ড়, as - দৃঢ় (drirha) firm, মূঢ় (murha) dull, প্রগাঢ় (pragarha) deep, vast etc.

য় (ya) is pronounced like the English 'y' in *yoke*, *young* etc. as—ভয় (bhoy) fear, নয় (noy) nine জয় (joy) victory etc.

ক্ষ (ksa, kkha) is a conjunct of k and s (ক্+ষ), but is pronounced like 'kkha', as—চক্ষু (chakkhu) eye, পরীক্ষা (parikkha) examination etc.

জ্ঞ (jna) is conjunct of j and n (জ্+ঞ্) and is pronounced like 'gya' in Bengali with contiguous vowel nasalised ; as—জ্ঞান (jnan) knowledge, কৃতজ্ঞ (kritagya) graetful etc.

ঙ্গ (ng) is a conjunct of n and g (ঙ্+গ), and is pronounced like 'ng' in *long*, *song*, *tongue* etc. as—অঙ্গ (anga) body, বঙ্গদেশ (Bangadesh) Bengal, মঙ্গল (mangal) bliss etc.

× × ×

REVISION-LESSON

Vowels (স্বরবর্ণ)

Bengali Letter	Phonetic symbol	Pronunciation
অ	a]	জল, ফল
	o]	অতি, অনুমতি
আ	a	মা, বাবা, আমি
ই	i	ইট, ইহা, বিবিধ
ঈ	i	ঈর্ষা, ঈশ্বর, নদী
উ	u	উট, উহা, তরু
ঊ	u	ঊর্ধ্ব, ঊষর, কূপ
ঋ	r]	ঋণ, ঋষি, ঋতু
	ri]	কৃশ, তৃণ, মৃগ
এ	e]	দেশ, মেষ, তবে
	ae]	এক, কেমন, দেখা
ঐ	ai]	শৈল, তৈল, জনৈক
	oi]	ঐ, দৈ, মৈনাক
ও	o]	ঘোড়া, রোগা, রোগ
	o]	ওল, মোম, রোগ
ঔ	au]	ঔষধ, নৌকা, কৌমল
	ou]	বৌ, মৌমাছি, কৌপীন

(ব্যঞ্জনবর্ণ Consonant)

Bengali Letter	Phonetic symbol	Pronunciation
ক	k (a)	কলম, কত, সকল
খ	kh ,,	খই, খাতা, খুব
গ	g ,,	গরু, গাধা, গলা
ঘ	gh ,,	ঘর, ঘোড়া, ঘুম
ঙ	n ,,	বাঙলা, বেঙ, শঙ্খ
চ	ch ,,	চলা, বচন, চিতা
ছ	chh ,,	ছবি, ছানা, ছেলে
জ	j ,,	জল, জীবন, জেলে
ঝ	jh ,,	ঝড়, ঝাউ, ঝিল
ঞ	n ,,	মিঞা, যাচ্‌ঞা
ট	t ,,	টক, টিয়া, টুপি
ঠ	th ,,	ঠিক, ঠেস, ঠাকুর
ড	d ,,	ডাক, ডানা, ডিম
ঢ	dh ,,	ঢাক, ঢোল, ঢেউ
ণ	n ,,	রণ, অণু, প্রাণ
ত	t ,,	তপন, তাপ, তেল
থ	th ,,	থালা, থাম, থুথু
দ	d ,,	দয়া, দেশ, দান
ধ	dh ,,	ধন, ধান, ধাতু
ন	n ,,	নাম, নদী, নীল

Bengali Letter	Phonetic symbol	Pronunciation
প	p (a)	পাঠ, পাখা, পিতা
ফ	ph ,,	ফল, ফুল, ফসল
ব	b ,,	বই, বন, বোকা
ভ	bh ,,	ভাষা, ভুমি, ভোর
ম	m ,,	মন, মাথা, মানুষ
য	j ,, (ya)	যদি, যখন, যমজ
র	r ,,	রস, রবি, রূপা
ল	l ,,	লবণ, লাভ, লেজ
শ	s ,,	শশা, শশী, শরীর
ষ	s ,,	ষোল, বৃষ, শেষ
স	s ,,	সব, সাদা, সাধু
হ	h ,,	হাসি, হেতু, হাত
ং	m	অংশ, বংশ, মাংস
ঃ	h	দুঃখ. পুনঃ পুনঃ
	~	চাঁদ, দাঁত, ঝাঁজ
ড়	r ,,	বড়, বাড়ী, ঘোড়া
ঢ়	rh ,,	আষাঢ়, দৃঢ়, মূঢ়
য়	y ,,	ভয়, নয়, বায়ু

Practice :—

তোমার নাম কি ? (tomar nam ki)
What is your name ?

আমার নাম গোপাল (amar nam Gopal)
My name is Gopal.

তোমার বাবার নাম কি ? (tomar babar nam ki)
What is your father's name ?

তাঁহার নাম শ্রীগণেশ চন্দ্র দাস
(tanhar nam Sri Ganes Chandra Dash)
His name is Shri Ganesh Chandra Das.

তুমি কাহার সঙ্গে আসিয়াছ ?
(tumi kahar sange ashiacho)
With whom have you come ?

আমি আমার বন্ধুর সঙ্গে আসিয়াছি
(ami amar bandhur shange ashiachhi)
I have come with my friend.

এই ছেলেটি কে ? (ei chheleti ke)
Who is this boy ?

এই ছেলেটি বিপিনের ছোট ভাই
(ei chheleti Bipiner chhoto bhai)
This boy is the younger brother of Bipin.

ওখানে কে কে বসিয়া আছে ?
(okhane ke ke bosiya achhe)
Who are sitting there ?

ওখানে সীতা ও সাবিত্রী বসিয়া আছে
(okhane Shita o Shabitri boshiya achhe)
Sita and Sabitri are sitting there.

কৃষ্ণ ও গোবিন্দ কোথায় গিয়াছে ?
(Krishna o Gobinda kothaya giachhe)
Where have Krishna and Gobinda gone ?

তাঁহারা নরোত্তমপুর গিয়াছে
(tanhara Narottampur giachhe)
They have gone to Narottampur.

Read and write :—

জন-গণ-মন-অধিনায়ক জয় হে, ভারত-ভাগ্য-বিধাতা
পঞ্জাব-সিন্ধু-গুজরাত মারাঠা, দ্রাবিড়-উৎকল-বঙ্গ
বিন্ধ্য-হিমাচল যমুনা-গঙ্গা, উচ্ছল-জলধি-তরঙ্গ ।
তব শুভ নামে জাগে   তব শুভ আশীষ মাগে
            গাহে তব জয়গাথা ।
জন-গন-মঙ্গল-দায়ক জয় হে, ভারত-ভাগ্য-বিধাতা ।
জয় হে, জয় হে, জয় হে, জয় জয় জয় জয় হে ॥

41

Jana-gana-mana-adhinayak jaya he, Bharata-

bhagya-vidhata

Punjab-Sindhu-Gujarata-Maratha Dravida U⁺kal Vanga

Vindhya-Himachala Yamuna Ganga, uchhala

jaladhi-taranga.

Tava subha name jage,   tava subha asisa mage

gahe tava jayagatha.

Jana-gana-mangala-dayaka, jaya he, Bharata-

bhagya-vidhata.

Jaya he, jaya he, jaya he, jaya jaya jaya jaya he.

LESSON 6

Way to Language

আমি (ami)—I আমরা (amara)—We

তুই (tui)—thou তোরা (tora)—you

তুমি (tumi)—you তোমরা (tomara)—you

সে (she)—he তাহারা (tahara)—they

আপনি (apani)—you আপনারা (apanara)—you

ছেলে (chhele)—boy মেয়ে (meye)—girl

খোকা (khoka)—male খুকী (khuki)—female
child child

পুত্র (putra)—son কন্যা (kanya)—daughter

আমি হই (ami hai)—I am

আমরা হই (amara hai)—We are

তুই হ'স (tui hosh)—Thou are

তোরা হ'স (tora hosh)—You are

তুমি হও (tumi hao)—You are

তোমরা হও (tomara hao)—You are

আপনি হন (apani hon)—You are

আপনারা হন (apanara hon)—You are

সে হয় (she hoy)—He or she is

তাহারা হয় (tahara hoy)—They are

তিনি হন (tini hon)—He is

তাঁহারা হন (tanhara hon)—They are

আমি করি (ami kari)—I do

আমরা করি (amara kari)—We do

তুই করিস্ (tui karish)—Thou doest

তোরা করিস্ (tora karish)—You do

তুমি কর (tumi karo)—You do

তোমরা কর (tomara karo)—You do

আপনি করেন (apani karen)—You do

আপনারা করেন (apanara karen)—You do

সে করে (she kare)—He (or She) does

তাহারা করে (tahara kare)—They do

রাম করে (Ram kare)—Ram does

সীতা করে (Shita kare)—Sita does

এখানে (ekhene)—here, ওখানে (okhane)—there, যেখানে (jekhane)—where, সেখানে (shekhane)—there কোন্খানে (konkhane)—where, কোথায় (kothaya)—where.

44

এই (ei) this   ঐ (oi) that

এইগুলি (ei guli) these   ঐগুলি (oi guli) those

যেগুলি (je guli) those   সে গুলি (se guli) those

এই জন্য (ei janya) for this, ঐ জন্য (oi janya) for that, যে জন্য (je janya) for which, কি জন্য (ki janya) for what, সেইজন্য (shei janya) for that.

যদি (jadi) if	কিন্তু (kintu) but
পরন্তু (parantu) besides	বরং (barang) rather
তবু (tabu) yet	তথাপি (tathapi) even so
অথবা (athaba) or	বা (ba) or
এবং (ebong) and	ও (o) and
হাঁ (han) yes	না (na) no
কেন (kaeno) why	কেননা (kaenona) because
যেহেতু (jehetu) because	যেন (jaeno) as if
বাহির (bahir) out	ভিতর (bhitar) in
উপর (upar) up	নীচ (nich) down
বড় (baro) big	ছোট (chhoto) small
বেশী (besi) more	কম (kam) less
যখন (jakhan) when	তখন (takhan) then
কখন (kakhan) when	এখন (aekhan) now
কত (kato) how much	যত (jato) as much
তত (tato) so much	এত (aeto) this much

Name of the Months :

বৈশাখ (Baisakh)	জ্যৈষ্ঠ (Jyaistha)
আষাঢ় (Asarh)	শ্রাবণ (Sraban)
ভাদ্র (Bhadra)	আশ্বিন (Aswin)
কার্তিক (Kartic)	অগ্রহায়ণ (Agrahayan)
পৌষ (Paus)	মাঘ (Magh)
ফাগুন (Fagun)	চৈত্র (Chaitra)

[The Bengali year begins with the month of বৈশাখ (Baisakh) i,e. from the middle of April.]

Name of the days

সোমবার	(Som-bar)	Monday
মঙ্গলবার	(Mangal-bar)	Tuesday
বুধবার	(Budh-bar)	Wednesday
বৃহস্পতিবার	(Brihaspatibar)	Thursday
শুক্রবার	(Sukra-bar)	Friday
শনিবার	(Sani-bar)	Saturday
রবিবার	(Rabi-bar)	Sunday

বৎসর (batsar) year	মাস (mash) month
পক্ষ (pakkha) fortnight	সপ্তাহ (saptaha) week
দিন (din) day	ঘণ্টা (ghanta) hour
মিনিট (minit) minute	সেকেণ্ড (sekend) second

Name of the seasons :

গ্রীষ্ম (grisma) summer,   covering   বৈশাখ & জ্যেষ্ঠ
বর্ষা (barsa) rainyseason   ,,   আষাঢ় & শ্রাবণ
শরৎ (sarat) autumn   ,,   ভাদ্র & আশ্বিন
হেমন্ত (hemanta) dewy-season ,,   কার্তিক & অগ্রহায়ণ
শীত (sit) winter   ,,   পৌষ & মাঘ
বসন্ত (vashanta) spring   ,,   ফাল্গুন & চৈত্র

Name of the directions :

পূর্ব (purba) East   পশ্চিম (paschim) West
উত্তর (uttar) North   দক্ষিণ (dakkin) South
ঊর্ধ্ব (urdhra) Up   অধঃ (adhah) Down
ডান (dan) Right   বাম (bam) Left

Practice :—

রাম বড় ভাল ছেলে—Ram is a very good boy.
মালতী সুন্দরী মেয়ে – Malati is a beautiful girl.
তোমারা কোথায় যাইতেছ—Where are you going ?
আমরা এখন বাহিরে যাইতেছি—We are now going out.
তাহারা কখন আসিবে—When will they come ?
তোমরা কখন যাইবে—When will you go ?
আমরা শনিবার যাইব—We shall go on Sunday.

Exercise

Translate into Bengali :—

I, he, they, boy, girl, here there, north, south, hour, mouth, now, when, in, out, if, rather, this, that.

—:o:—

LESSON 7

Cardinal Numbers

১	এক	aek	1
২	দুই	dui	2
৩	তিন	tin	3
৪	চার	char	4
৫	পাঁচ	panch	5
৬	ছয়	chhoy	6
৭	সাত	sat	7
৮	আট	at	8
৯	নয়	noy	9
১০	দশ	das	10
১১	এগার	aegaro	11
১২	বার	baro	12
১৩	তের	taero	13
১৪	চৌদ্দ	chaudda	14
১৫	পনের	panero	15
১৬	ষোল	solo	16
১৭	সতের	satero	17
১৮	আঠার	atharo	18
১৯	উনিশ	unis	19
২০	বিশ, কুড়ি	bis, kuri	20

48

২১	একুশ	ekus	21
২২	বাইশ	bais	22
২৩	তেইশ	teis	23
২৪	চব্বিশ	chabbis	24
২৫	পঁচিশ	panchis	25
২৬	ছাব্বিশ	chhabbis	26
২৭	সাতাশ	satas	27
২৮	আটাশ	atas	28
২৯	উনত্রিশ	unatris	29
৩০	ত্রিশ	tris	30
৩১	একত্রিশ	ekatris	31
৩২	বত্রিশ	batris	32
৩৩	তেত্রিশ	tetris	33
৩৪	চৌত্রিশ	chautris	34
৩৫	পঁয়ত্রিশ	paitris	35
৩৬	ছত্রিশ	chhatris	36
৩৭	সাঁইত্রিশ	saintris	37
৩৮	আঠত্রিশ	attris	38
৩৮	উনচল্লিশ	unachallis	39
৪০	চল্লিশ	challis	40
৪১	একচল্লিশ	aekehallis	41
৪২	বিয়াল্লিশ	biallis	42
৪৩	তেতাল্লিশ	tetallis	43
৪৪	চুয়াল্লিশ	chuallis	44
৪৫	পঁয়তাল্লিশ	paintallis	45
৪৬	ছেচল্লিশ	chhechallis	46
৪৭	সাতচল্লিশ	satchallis	47

৪৮	আঠচল্লিশ atchallis	48
৪৯	উনপঞ্চাশ unapancas	49
৫০	পঞ্চাশ panchas	50
৫১	একান্ন aekanno	51
৫২	বাহান্ন bahanno	52
৫৩	তেপ্পান্ন teppanno	53
৫৪	চুয়ান্ন chaunno	54
৫৫	পঞ্চান্ন panchanno	55
৫৬	ছাপান্ন chhappanno	56
৫৭	সাতান্ন satanno	57
৫৮	আটান্ন atanno	58
৫৯	উনষাঠ unasat	59
৬০	ষাঠ sat	60
৬১	একষট্টি aeksatti	61
৬২	বাষট্টি basatti	62
৬৩	তেষট্টি tesatti	63
৬৪	চৌষট্টি chausatti	64
৬৫	পঁয়ষট্রি painsatti	65
৬৬	ছেষট্টি chhesatti	66
৬৭	সাতষট্রি satsatti	67
৬৮	আঠষট্টি atsatti	68
৬৯	উনসত্তর unashattar	69
৭০	সত্তর shattar	70
৭১	একাত্তর ekattar	71
৭২	বাহাত্তর bahattar	72
৭৩	তিয়াত্তর tiattar	73
৭৪	চুয়াত্তর chuattar	74

৭৫	পঁচাত্তর	panchattar	75
৭৬	ছিয়াত্তর	chhiattar	76
৭৭	সাতাত্তর	satattar	77
৭৮	আটাত্তর	atattar	78
৭৯	ঊনাশী	unasi	79
৮০	আশী	asi	80
৮১	একাশী	akasi	81
৮২	বিরাশী	birasi	82
৮৩	তিরাশী	tirasi	83
৮৪	চুরাশী	churasi	84
৮৫	পঁচাশী	panchasi	85
৮৬	ছিয়াশী	chhiasi	86
৮৭	সাতাশী	satasi	87
৮৮	আটাশী	atasi	88
৮৮	ঊননব্বই	unanabboi	89
৯০	নব্বই	nabboi	90
৯১	একানব্বই	aekanabboi	91
৯২	বিরানব্বই	biranabboi	92
৮৩	তিরানব্বই	tiranabboi	93
৯৪	চূরানব্বই	churanabboi	94
৯৫	পঁচানব্বই	panchanabboi	95
৮৬	ছিয়ানব্বই	chhianabboi	96
৯৭	সাতানব্বই	satanabboi	97
৮৮	আটানব্বই	atanabboi	98
৯৯	নিরানব্বই	niranabboi	99
১০০	এক শ	ak sa	100

২০০ দুই শ (dui sa) 200
৩০০ তিন শ (tin sa) 300
৫০০ পাঁচ শ (panch sa) 500
১০০০ হাজার, সহস্র (hazar, shahsra) 1000
১০০০০ দশ হাজার (das hazar) 10000
১০০০০০ লক্ষ, লাখ (lakkho, lakh) 100000
১০০০০০০০ কোটি (koti) 10000000

Ordinal numbers

প্রথম (pratham) first   দ্বিতীয় (dwitiya) second
তৃতীয় (tritiya) third   চতুর্থ (chaturtha) fourth
পঞ্চম (pancham) fifth   ষষ্ঠ (sastha) sixth
সপ্তম (saptam) seventh   অষ্টম (asatam) eighth
নবম (nabam) ninth   দশম (dasam) tenth

একাদশ (aekadas) eleventh

দ্বাদশ (dwadas) twelfth

ত্রয়োদশ (trayodas) thirteeth

চতুর্দশ (chaturdas) fourteenth

পঞ্চদশ (panchadas) fifteenth

ষোড়শ (soras) sixteenth

সপ্তদশ (saptadas) seventeenth

অষ্টাদশ (astadas) eighteenth

ঊনবিংশ (unabimsa) nineteeth

বিংশ (bimsa) twentieth

Articles

To indicate specification, affection or contempt the affixes টি, টা, খানা, খানি etc. are used with the noun.

টি indicates some respect or prettiness, lovableness etc. as—

মানুষটি মন্দ নয়—The man is not bad.

টা is used in case of lifeless objects or to indicate contempt or disrespect, as—

কলমটা কোথায়—Where is the pen ?

ছেলেটা বড় দুষ্ট —The boy is very naughty.

খানা খানি are generally used for things which are flat in shape and টা or টি generally for smaller objects, as :—

কাপড়খানা কাহার —Whose cloth is this ?

পুস্তকখানি বড়ই উপযোগী—The book is very useful.

বাটীটা ছোট—The cup is small.

Exercise

Translate into Bengali :—

5, 6. 9, 11, 18, 29, 37, 39, 45, 88, 89.

Thirteen, nineteen. thirty-five, seventy-nine, eighty-five 3rd, 5th, 6th, 12th, 16th, 19th, 20th.

LESSON 8

Nouns, Adjectives & Pronouns
(বিশেষ্য, বিশেষণ ও সর্বনাম)

NOUNS
(বিশেষ্য)

There are five kinds of nouns (বিশেষ্য) in Bengali.

(a) **Proper noun** (ব্যক্তি বা স্থানবাচক বিশেষ্য) such as—রাম (Ram), শ্যাম (Shyam), যদু (Jadu), কলিকাতা (Calcutta), কাশী (Kashi), হিমালয় (Himalayas) etc.

(b) **Common noun** (জাতিবাচক বিশেষ্য) such as—মানুষ (men), গরু (cow), বানর (monkey), গ্রাম (village), নগর (city) etc.

(c) **Material noun** (দ্রব্যবাচক বিশেষ্য), such as—জল (water), মাটি (earth), তেল (oil), গুড় (molasses), দুধ (milk), ঘি (ghee) etc.

(d) **Collective noun** (সমুদয়-বাচক বিশেষ্য) such as—দল (band), ক্লাস (class), ভিড় (crowd), মেলা (fair) etc.

(e) **Abstract noun** (গুণবাচক বিশেষ্য), such as — দয়া (kindness), সরলতা (simplicity), দারিদ্র্য (poverty), কার্পণ্য (miserliness), মিত্রতা (friendship) etc.

Abstract nouns are formed in three different ways :—

(a) **From common nouns**, as—বালক (boy)— বালকত্ব (boyhood), মনুষ্য (man)—মনুষ্যত্ব (humanity) নারী (woman)—নারীত্ব (womanhood), বন্ধু (friend)— বন্ধুত্ব (friendship) etc.

(b) **From adjectives**, as—শীতল (cold)—শীতলতা (coldness), উষ্ণ (warm)—উষ্ণতা (warmth), কঠোর (hard) —কঠোরতা (hardness), শ্রেষ্ঠ (superior)—শ্রেষ্ঠত্ব (superiority), উদার (generous)—উদারতা (generosity) etc.

(c) **From verbs**, as—শোওয়া (to lie down)—শয়ন (lying), মরা (to die)—মরণ (death), দেখা (to see)—দর্শন (seeing) etc.

Adjectives (বিশেষণ)

There are three kinds of adjectives in Bengali.

(a) **Adjectives**, which qualifies the noun is বিশেষ্যের বিশেষণ, as—

ভাল ছেলে (bhalo chhele)—good boy,

সুন্দর মেয়ে (shundar meye)—beautiful girl, etc.

55

(b)   Adjective which qualifies another adjective is called বিশেষণীয় বিশেষণ, as :—

বড় ভাল ছেলে (baro bhalo chhele)—a very good boy.

খুব সুন্দর মেয়ে (khub shundar meye)—a very beautiful girl, etc.

(c)   Adjective which modifies the verb is called ক্রিয়াবিশেষণ, as—

তাড়াতাড়ি চল (taratari chalo)—Go quickly.

আস্তে আস্তে বল (aste aste balo)—Speak slowly.

In these sentences তাড়াতাড়ি and আস্তে আস্তে are ক্রিয়াবিশেষণ (adjectives of verbs i.e. adverbs).

There are three degrees of adjectives in Bengali. তর and তম are to be added with the adjectives in comparative and superlative degrees respectively ; as—

ক্ষুদ্র (khudra) small, ক্ষুদ্রতর (khudratara) smaller, and ক্ষুদ্রতম (khudratama) smallest.

সুন্দর (shundar) beautiful, সুন্দরতর (shundaratara) more beautiful, and সুন্দরতম (shundaratama) most beautiful.

[তর and তম are used only with the words coming from Sanskrit.]

Pronouns (সর্বনাম)

আমি (ami) I

 আমরা (amara) we

তুই (tui) thou

তোরা (tora) you

তুমি (tumi) you

তোমরা (tomara) you

সে (she) he or she

তাহারা (tahara) they

তিনি (tini) he or she
(respectful)

তাঁহারা (tanhara) they
(respectful)

আপনি (apani) you (,,)

আপনারা (apanara) (,,)

যে (je) who

যাহারা (jahara) who

যিনি (jini) who
(respectful)

যাঁহারা (janhara) who
(respectful)

এই (ei) this

এই সকল (ei shakal) these

ইনি (ini) this
(respectful)

ইঁহারা (inhara) these
(respectful)

কে (ke) who

কাহারা (kahara) who

কি (ki) what

কি কি (ki ki) what

Exercise

1. How many kinds of adjectives are there in Bengali ? Cite examples.

2. Translate into English :—

আপনি, তিনি, সে, তোরা, আমরা, যাহারা, ইনি, ইহার, কি, কে ?

3. How abstract nouns are formed ? Cite examples of each kind.

LESSON 9

Verb
(ক্রিয়া)

আমি করি (ami kari)—I do

সে দৌড়ায় (she daurai)—He runs

বালকেরা হাসে (balakera haṣhe)—Boys laugh

বালিকারা নাচে (balikara nache)—Girls dance.

In these sentences করি, দৌড়ায়, হাসে and নাচে are finite verbs. In Bengali verbs do not change according to their genders and numbers; as :—

বালক দেখিতেছে (balak dekhiteche)

The boy is seeing.

বালিকা দেখিতেছে (balika dekhiteche)

The girl is seeing.

বালকেরা দেখিতেছে (balakera dekhiteche)

Boys are seeing.

বালিকারা দেখিতেছে (balikara dekhiteche)

Girls are seeing.

Bengali verbs change their forms according to persons only ; as :—

আমি করিতেছি (ami karitechi)
I am doing.

আমরা করিতেছি (amara karitechi)
We are doing.

তুমি করিতেছ (tumi karitecha)
You are doing.

তোমরা করিতেছ (tomara karitecha)
You are doing.

সে করিতেছে (she kariteche)
He is doing.

তাহারা করিতেছে (tahara kariteche)
They are doing.

A list of some common verbs :—

আসা (asha)—to come	কাঁদা (kada)—to weep
আনা (ana)—to bring	কাচা (kacha) - to wash
উঠা (utha)—to rise	কাটা (kata)—to cut
করা (kara)—to do	কাশা (kasha)—to cough
কহা (kaha)—to tell	খাওয়া (khaoa)—to eat
কাঁপা (kapa) -- to shiver	খোঁজা (khoja)—to search

খুশী করা (kushi kara)—to please

খোলা (khola) —to open

গোণা (gona)—to count

গাঁথা (gatha)—to knit

গাওয়া (gaoa)—to sing

ঘষা (ghasa)—to rub

ঘুমান (ghuman)—to sleep

ঘুরান (ghuran)—to turn

ঘেরা (ghera)—to surround

চড়া (chara)—to mount

চলা (chala)—to move

চষা (chasa)—to plough

চাওয়া (chaoa)—to ask

চাখা (chakha)—to taste

চাটা (chata)—to lick

চালান (chalan)—to drive

চুরি করা (churi kara)—to steal

চেঁচান (chechan) to cry out

ছড়ান (charan)—to scatter about

ছাঁকা (chaka)—to filtrate

ছাড়া (chara)—abandon

ছাপা (chapa)—to print

ছিটান (chitan)—to sprinkle

ছুটা (chuta)—to run

ছোঁয়া (choa)—to touch

ছোড়া (chora)—to throw

জড়ান (jaran)—to wind

জমান (jaman)—to accumulate

জাগা (jaga)—to wake up

জানা (jana)—to know

টানা (tana)—to pull

ঠকান (thakan)—to cheat

ডাকা (daka)—to call

ডিঙ্গান (dingan)—to jump over

ডুবা (duba)—to dive

ঢাকা (dhaka)—to cover

ঢালা (dhala)—to pour

তাড়ান (taran)—to drive out

থাকা (thaka)—to stay

থামা (thama)—to stop

দাঁড়ান (daran)—to stand

দেওয়া (dewa) = to give

দেখা (dekha) = to see

দোলা (dola) = to swim

দৌড়ান (dauran) = to run

ধরা (dhara) = to catch

ধোয়া (dhoa) = to wash

নাচা (natcha) = to dance

নাড়া (nara) = to move

খাওয়া (khaoa) = to eat

নামা (nama) = to get down

নেওয়া (neoa) = to take

পড়া (para) = to read

পরা (para) = to put on

পাওয়া (paoa) = to obtain

পালন করা (palan kara)
                = to maintain

পালান (palan) = to flee

পিটান (pitan) = to beat

পেষা (pesha) = to grind

পোষা (posha) = to tame

ফেরা (fera) = to turn

বহন করা (bahan kara)
                = to carry

বকা (baka) = to rebuke

বলা (bala) = to speak

বসা (basa) = to sit

বাঁকান (bakan) = to bend

বাঁচা (bacha) = to live

বাঁধা (badha) = to bind

বাটা (bata) = to pestle

বুঝা (bujha) = to under-
                stand

ভরা (bhara) = to fill

ভাঙ্গা (bhanga) = to break

ভাবা (bhaba) = to think

ভাসা (to float)

ভিজান (bhijan) = to wet

ভোলা (bhola) = to forget

মরা (mara) = to die

মাজা (maja) = to polish

মানা (mana) = to obey

মারা (mara) = to beat

মাপা (mapa) = to measure

যাওয়া (jaoa) = to go

রাখা (rakha) = to keep

রাঁধা (radha) = to cook

রোপণ করা (ropan kara)
=to plant

লওয়া (laoa)=to take

লুকান (lukan)=to hide

লেখা (lekha)=to write

শোয়া (shoa)=to lie down

সহ্য করা (shahya kara)
=to tolerate

হওয়া (haoa)=to be

হরণ করা (haran kara)
=to steal

হত্যা করা (hatya kara)
=to kill

হাঁচা (hatcha)=to sneeze

হাসা (hasha)=to laugh

Participles (অসমাপিকা ক্রিয়া)

In Bengali Participles are formed by adding
ইয়া (ia) to the main verbs; as :—

কর্	+	ইয়া	=	করিয়া (doing)
খা	+	ইয়া	=	খাইয়া (eating)
দেখ্	+	ইয়া	=	দেখিয়া (seeing)
শুন্	+	ইয়া	=	শুনিয়া (hearing)

কাজ করিয়া বিশ্রাম কর
(kaj karia bisram kara)
Doing the work, take rest

খাইয়া উঠিয়া শুইয়া পড়
(khaiya uthia shuiya para)
After taking your meals go to bed.

এসব দেখিয়া শুনিয়াও তোমার জ্ঞান হইল না

(eshab dekhia shuniyo tomar yan hailo na)

You have not come to your senses even after seeing and hearing all these things.

Causative Verbs (প্রেরনার্থক ক্রিয়া)

আমি তোমাকে দিয়া (তোমাদ্বারা) চিঠি লিখাইয়াছি

(ami tomake diya chithi likhaiachi)

I have got the letter written by you.

আমি তাহাকে দিয়া ছবি আঁকাইব

(ami tahake dia chabi akaiba)

I shall make him draw a picture.

A list of causative verbs :—

Simple Verb	Bengali	Causative Verb
সাধারণ ক্রিয়া	বাংলা	প্রেরনার্থক ক্রিয়া
কর্	করা (to do)	করান (to make any one to do)
ধূ	ধোয়া (to wash)	ধোয়ান ,, ,, to wash
ল	লওয়া (to take)	লওয়ান ,, ,, to take
দে	দেওয়া (to give)	দেওয়ান ,, ,, to give
হ	হওয়া (to be)	হওয়ান ,, ,, to be
পা	পাওয়া (to get)	পাওয়ান ,, ,, to get

Simple verbs	Bengali	Causative verbs
সাধারণ ক্রিয়া	বাংলা	প্রেরনার্থক ক্রিয়া
যা	যাওয়া (to go)	যাওয়ান (to make any one to go)
শু	শুনা (to hear)	শুনান ,, ,, to hear
খা	খাওয়া (to eat)	খাওয়ান ,, ,, to feed
দেখ্	দেখা (to see)	দেখান ,, ,, to show
পড়্	পড়া (to read)	পড়ান ,, ,, to teach

Practice :—

আমি ছবি দেখিতেছি—I am seeing pictures.

আমি তাহাকে ছবি দেখাইতেছি
I am showing him pictures.

সে ভাত খায়—He eats rice.

সে আমাকে ভাত খাওয়ায়—He feeds me rice.

বালকটি জল পান করে—The boy drinks water.

বালকটি তাহাকে জল পান করায়
The boy makes him drink water.

আমি গান শুনিতেছি—I am hearing a song.

সে আমাকে গান শুনাইতেছে
He is making me hear a song.

আমি কবিতা লিখিতেছি—I am writing a poem.

সে আমাকে কবিতা লিখাইতেছে
He is making me write a poem.

সে ভূমিহীন চাষীদিগকে জমি দান করিতেছে

He is giving land to the landless cultivators.

সে ভূমিহীন চাষীদিগকে জমি দান করাইতেছে

He is making somebody give land to the land-
less cultivators.

Exercise

1. What is Participle ? Cite two examples.

2. Give the causative forms of the following verbs :—

   করা, পড়া, দেখা, শোনা, লওয়া, হওয়া, খাওয়া, পাওয়া etc.

3. Translate into Bengali :—

   to rise, to weep, to search, to lick, to open, to count,
to know, to wash, to dive, to laugh, to do.

LESSON 10

Gender
(লিঙ্গ)

There are three kinds of gender in Bengali :

(a) পুংলিঙ্গ (punglinga) Masculine gender,

(b) স্ত্রীলিঙ্গ (strilinga) Feminine gender, and

(c) ক্লীবলিঙ্গ (klibalinga) Neuter gender.

For examples :—

1. Masculine gender—রাম, পিতা, বালক, ছেলে ।

2. Feminine gender—সীতা, মাতা, বালিকা, মেয়ে ।

3. Neuter gender—গাছ, পাথর, জল, মাটি ।

Masculine genders can be changed into feminine in three ways :—

(i) by using affixes or suffixes;

(ii) by adding words of feminine senses;

(iii) by using corresponding feminine terms;

67

(i) (a) Feminine forms by affixing আ।

Masculine	Feminine
মহাশয় (gentleman)	মহাশয়া
প্রিয়তম (dearest one)	প্রিয়তমা
কোকিল (cuckoo)	কোকিলা
পণ্ডিত (scholar)	পণ্ডিতা

(b) Feminine forms by affixing ঈ (ee)

খুড়া (uncle, father's younger brother)	খুড়ী (aunt)
কাকা (,,)	কাকীমা (,,)
জ্যেঠা (father's elder brother)	জ্যেঠীমা (,,)
মামা (maternal uncle)	মামী (maternal aunt)
ভাগিনেয় (nephew)	ভাগিনেয়ী (niece)
ভাগনা (,,)	ভাগনী (,,)
বুড়া (old man)	বুড়ী (old woman)
বান্ধব (male friend)	বান্ধবী (female friend)
ছাত্র (male student)	ছাত্রী (female student)
হরিন (stag)	হরিণী (hind)
ভেড়া (ram)	ভেড়ী (ewe)
পাঁঠা (he-goat)	পাঁঠী (she-goat)
রাক্ষস (demon)	রাক্ষসী (female demon)

Masculine	Feminine
পুত্র (son)	পুত্রী বা কন্যা (daughter)
তরুন (young man)	তরুণী (young woman)
দেব (god)	দেবী (goddess)

(c) Feminine forms by affixing আনী (ani)

চাকর (male servant)	চাকরানী (maid servant)
মেথর (male latrine cleaner)	মেথরানী (female latrine cleaner)
শিব (god Siva)	শিবানী (goddess Durga)
ইন্দ্র (god Indra)	ইন্দ্রানী (wife of Indra)

(d) Feminine forms by affixing নী (ni)

ধোপা (washerman)	ধোপানী (washerwoman)
জেলে (fisherman)	জেলেনী (fisherwoman)
গৃহস্বামী (householder)	গৃহস্বামী (housewife)

(e) Feminine forms by affixing ইনী (ini)

বাঘ (tiger)	বাঘিনী (tigress)
পাগল (madman)	পাগলিনী (mad woman)
রজক (washerman)	রজকিনী (washerwoman)

Masculine	Feminine

(f) By changing the affix অক into ইকা (ika)

Masculine	Feminine
লেখক (author)	লেখিকা (authoress)
বালক (boy)	বালিকা (girl)
গায়ক (songster)	গায়িকা (songstress)
নায়ক (hero)	নায়িকা (heroine)

(ii) By adding words of feminine sense :

Masculine	Feminine
পুরুষ মানুষ (male)	মেয়ে মানুষ (female)
বেটা ছেলে (male child)	মেয়ে ছেলে (female child)
মর্দা কুকুর (dog)	মাদী কুকুর (bitch)
এঁড়ে বাছুর (bull calf)	বকনা বাছুর (cow calf)

(iii) By using corresponding feminine terms :

Masculine	Feminine
কর্তা (householder)	গিন্নী (housewife)
পুত্র (son)	কন্যা (daughter)
ছেলে (boy)	মেয়ে (girl)
বর (bridegroom)	কনে (bride)
শ্বশুর (father-in-law)	শাশুড়ী (mother-in-law)
স্বামী (husband)	স্ত্রী (wife)
ভাই (brother)	বোন (sister)
দাদা (elder ,,)	দিদি (elder ,,)
শ্যালক (wife's brother)	শ্যালিকা (wife's sister)

Masculine	Feminine
পুরুষ (male)	স্ত্রী (female)
নাতি (grandson)	নাতিনী (granddaughter)
নবাব (muslim ruler)	বেগম (wife of a muslim ruler)
সাহেব (a male European)	মেম (a female European)
শুক (parrot)	সারী (female parrot)
ভূত (male ghost)	পেত্নী (female ghost)

Exercise

Change the genders of :—

মহাশয়, পণ্ডিত, খুড়া, জ্যেঠা, ভাগিনা, ছাত্রী, ভেড়া, চাকর, জেলে, লেখক, গায়ক, ইন্দ্র, পুরুষ মানুষ, বেটা ছেলে, বর, ভাই।

LESSON 11

Number

(বচন)

There are two numbers in Bengali :

Singular (একবচন) and Plural (বহুবচন)

For examples :

Singular (একবচন)	Plural (বহুবচন)
ছেলে (boy)	ছেলেরা (boys)
মেয়ে (girl)	মেয়েরা (girls)
মানুষ (man)	মানুষেরা (men)
পণ্ডিত (scholar)	পণ্ডিতেরা (scholars)
দরিদ্র (poor man)	দরিদ্ররা (poor men)
বালক (boy)	বালকগণ (boys)
মুনি (sage)	মুনিগণ (sages)

To imply respect জন is used with both the numbe·s singular and plural ; as :—

একজন ভদ্রলোক—One gentleman

তিনজন মহিলা—Three ladies.

পাঁচজন পণ্ডিত—Five scholars

সকল, সমূহ, রাশি, গণ, গুলি, গুলা etc. are affixes or words conveying plural sense and are used in forming plural numbers ; as :—

বৃক্ষসকল—The trees.

মেঘসমূহ—The clouds.

তারকারাশি—The stars.

বানরগুলি—The monkeys.

কুকুরগুলি—The dogs.

বালকগণ—The boys.

Sometimes some words such as—অনেক, সকল, বিস্তর, বহু, কত etc. are used with the singular numbers to make them plural ; as—

মানুষ (man)	অনেক মানুষ (many men)
ছাত্র (student)	সকল ছাত্র (all students)
মাছ (fish)	বিস্তর মাছ (plenty of fish)
নদী (river)	বহু নদী (many rivers)
তারা (star)	কত তারা (many stars)

But these words are not used when other affixes convey plural sense. It will not be correct if we write অনেক মেয়েরা or অনেক নদীগুলি etc. The correct forms are : —

girls—মেয়েরা

many girls—অনেক মেয়ে

rivers—নদীগুলি

many rivers—অনেক নদী

In some cases the plural number is formed by repeating the adjective; as :—

বড় বড় নদী—big rivers.

ছোট ছোট মাছ—small fishes.

পাকা পাকা ফল—ripe fruits.

নূতন নূতন জামা—new shirts.

কালো কালো মেয়ে—black girls.

Practise :—

খোকা হাসে—The male child smiles.

খুকী কাঁদে—The female child weeps.

ছেলেরা দৌড়ায়—The boys run.

মেয়েরা খেলে—The girls play.

ঘোড়াগুলি বলবান—The horses are strong.

বলদগুলি দুর্বল—The bulls are weak.

ছবিগুলি কোথায়—Where are the pictures ?

ছোট ছোট ছেলে—Little boys.

বড় বড় মেয়ে—Grown-up girls.

কালো কালো ছাগল—Black goats.

সাদা সাদা খরগোস—White hares.

Exercise

Translate into Bengali :—

good boys, bad girls, dirty (নোংরা) clothes, broken (ভাঙ্গা) plates, old houses, big rivers, small lanes (গলি), black goats, many men, many women, little birds, little fingers (আঙ্গুল), red dogs, white cats.

LESSON 12

Case

(কারক)

In Bengali there are six cases (কারক) :—

কর্তা (Nominative), কর্ম (Objective), করণ (Instrumental), সম্প্রদান (Dative), অপাদান (Ablative) and অধিকরণ (Locative).

Cases and their suffixes :

Case কারক	Suffix বিভক্তি	Case-endings বিভক্তির রূপ	
		Singular	*Plural*
কর্তা (nominative)	প্রথমা	অ, আ, তে, এ, য়	রা, এরা গুলি, গুলা, গণ
কর্ম (objective)	দ্বিতীয়া	কে, রে	দিগকে, গুলিকে
করণ (instrumental)	তৃতীয়া	দ্বারা, দিয়া, কর্তৃক	দ্বারা, দিয়া, কর্তৃক
সম্প্রদান (dative)	চতুর্থী	কে, যে	দিগকে, গুলিকে
অপাদান (ablative)	পঞ্চমী	হইতে, থেকে	হইতে, থেকে
সম্বন্ধ (possessive)	ষষ্ঠী	র, এর	দিগের, দের
অধিকরণ (locative)	সপ্তমী	এ, য়, তে	দিগেতে, গুলিতে

76

1. কর্তৃকারক (Nominative case)

The nominative case names the agent or one who does something ; as :—

সূর্য উঠিতেছে (surjya uthiteche)
The sun is rising.

ছেলেরা পড়িতেছে (chelera pariteche)
The boys are reading.

Here সূর্য and ছেলেরা govern the verbs উঠিতেছে and পড়িতেছে। They are called কর্তা (the doer).

Some other examples :—

বালক হাসে (balak hashe)
The boy laughs.

বালিকা নাচে (balika natche)
The girl dances.

লোকে বলে (loke bale)—People say.

পোকায় কাটে (pokai kate)—Worm eats.

গরুতে ঘাস খায় (garute ghash khai)
The cow eats grass.

In these sentences বালক, বালিকা, লোকে, পোকায়, গরুতে are in the nominative case (কর্তৃকারক).

রা, এরা, সকল, সমূহ, গণ, গুলি etc. are used in the plural number of nominatives, as :—

শিশুরা খেলা করে (shishura khela kare)
The children play.

বালকেরা দৌড়ায় (balakera daurai)
The boys run.

নদীসকল শুকনা (nadishakal shukna)
The rivers are dry.

বালকগণ কাজ করিতেছে (balakgan kaj kariteche)
The boys are working.

2. কর্মকারক (Objective case)

Whatever is done or acted upon by the verb is called কর্মকারক (objective case). It is generally governed by a transitive verb ; as :—

রমেশ কবিতা লিখিতেছে
(Ramesh kabita likhiteche)
Ramesh is writing a poem.

মধু রহিমকে আলিঙ্গন করিতেছে
(Madhu Rahimke alingan kariteche)
Madhu is embracing Rahim.

In these sentences কবিতা, জমি, রহিমকে are examples of কর্মকারক (objective case) ; but no objective suffix is attached with কবিতা and জমি, as they are inanimate objects.

In Bengali the finite verb generally comes after the object ; রমেশ কবিতা লিখিতেছে ; but in English the object is often placed after the verb, as—Ramesh is writing a poem.

Some verbs have two objects which are called দ্বিকর্মক (having two objects) ; as :—

গুরু শিষ্যকে বেদ পাঠ করাইতেছেন
(guru shishyke Ved path karaitechen)
The preceptor is teaching his disciple the *Vedas*.

আমি তাহাকে ভাত খাওয়াইতেছি
(ami tahake vat khaoatechi)
I am feeding him rice.

In the above sentences there are two objects : বেদ and ভাত are মুখ্য কর্ম (direct objects) and শিষ্যকে and তাহাকে are গৌণ কর্ম (indirect objects).

3. করণ কারক (Instrumental case)

The case denotes something which heps in the completion of an act ; as :—

হাত দিয়া কাজ কর (hat dia kaj kara)
Do work with your hands.

চক্ষু দ্বারা দেখ (chakhu dara dekha)
See with your eyes.

তোমা কর্তৃক কিছুই হইবে না

(toma kartik kichui haibena)

Nothing will be done by you.

In these sentences হাত, দিয়া, চক্ষু, দ্বারা and তোমা কর্তৃক are in the instrumental case. A করণ কারক is usually formed by the words দ্বারা, দিয়া, কর্তৃক etc.

In the passive voice তৃতীয় বিভক্তি (the third case-ending) is used with the nominative ; as :—

এই পুস্তকখানি তোমাদ্বারা পঠিত হইয়াছে

(ai pustakhani tomadara pathita haiyache)

This book has been read by you.

4. সম্প্রদান কারক (Dative case)

It denotes something like an unreserved gift (which can never be taken back) ; as :—

রাজা দরিদ্রদিগকে ধন দিলেন

(raja daridradigake dhan dilen)

The king gave wealth to the poor.

Here দরিদ্রদিগকে is in the dative case (সম্প্রদান কারক). The case has become practically merged with the objective case.

5. অপাদান কারক (Ablative case)

অপাদান is the name of something from which a thing or person is detached : e.g., :—

গাছ হইতে পাতা পড়ে
(gach haite pata pare)
Leaves fall from trees.

বাঘ হইতে ভয় পাইও না
(bagh haite bhai paiona)
Do not get frightened from the tiger.

ধূমপান হইতে বিরত হও
(dhumpan haite birato hao)
Abstain from smoking.

অপাদান কারক is generally formed by হইতে or থেকে etc.

6. সম্বন্ধ পদ (Possessive case)

In Bengali সম্বন্ধ পদ (The possessive case) and সম্বোধন পদ (the vocative case) are not cases (কারক) because they have no relation with the verbs in the sentence ; as :—

রামের ভাই যাইতেছে (Ramer bhai jaiteche)
Ram's brother is going.

শ্যামের বোন লিখিতেছে (Shyamer bon likhiteche)
Shyam's sister is writing,

In these sentences রামের and শ্যামের have nothing
to do with their verbs যাইতেছে and লিখিতেছে ।

Sometimes ষষ্ঠী বিভক্তি (6th case-ending) is used
as an adjective ; as :—

সে খুব কাজের লোক (she khub kajer lok)
He is very competent man.

মধু বড় আদরের ছেলে (Madhu bar adarer chele)
Madhu is a very pet boy.

7.   অধিকরণ কারক (Locative case)

অধিকরণ কারক has the same relation with the verb
as an adverb of place or time. It simply shows
when or where an event happens. There are three
kinds of অধিকরণ কারক (Locative case).

(a)   কালাধিকরণ (denoting time)
(b)   আধারাধিকরণ (denoting place)
(c)   বিষয়াধিকরণ (denoting matter)

(a)   কালাধিকরণ (denoting time)

দুপুর বেলা রোদ্রে হাঁটাহাঁটি করা কি ভাল ?
(dupur bela raudre hatahati kara ki bhala ?)
Is it good to walk about in the sun at noon ?

প্রভাতে নির্মল বায়ু সেবন করা কর্তব্য।
(prabhate nirmal bayu sheban kara kartabya)
Fresh air should be taken in the morning.

(b) আধারাধিকরণ (denoting place)

আমরা এই গ্রামে বাস করি।
(amara aye grame bas kari)
We live in this village.

সূর্য পূর্বদিকে উদিত হয়।
(surya purbadike udita hai)
The sun rises in the east.

(c) বিষয়াধিকরণ (denoting matter)

ইহাতে তোমার মত কি?
(ihate tomar mat ki?)
What is your opinion about this matter?

এই বিষয়ে তিনি অদ্বিতীয়।
(ayi bishae tini additiya)
He is unparalleled in this subject.

8. সম্বোধন পদ (Vocative case)

হে নাথ! আমায় অপরাধ ক্ষমা করুন।
(hay nath! amar aparadh khama karun!)
Oh Lord! forgive me my faults.

এ কিহে, তুমি যে এখানে !
(ye kihe, toomi ye ekhane !)
Hallo, you are here !

হে বালকগণ ! তোমরা কি করিতেছ ?
(hay balakgan ! tomara ki karitecha ?)
Oh boys ! what are you about ?

In these sentences হে নাথ, এ কিহে and হে বালকগণ are in the vocative case (সম্বোধন পদ).

Exercise

1. How many cases are there in Bengali ? Cite two examples of each kind.

2. What is অধিকরণ কারক ? How many kinds of অধিকরণ কারক are there in Bengali ? Cite examples.

3. Translate into Bengali :—

Call him. Nothing will be done by him. Let us go. Our father is ill (অসুস্থ). Your brother is absent (অনুপস্থিত). These boys live (বাস করে) in our village. He is in the room. Ramen is a very competent boy. He is writing with his left hand (বাম হাত). Oh God ! help me.

× × ×

LESSON 13

Declension (শব্দরূপ)
মানুষ (man) Masculine

Singular	*Plural*
Nom.—মানুষ	মানুষেরা
man	men
Obj.—মানুষকে	মানুষদিগকে
to a man	to a man
Inst.—মানুষের দ্বারা	মানুষদের দ্বারা
by a man	by men
Dat.—মানুষকে	মানুষদিগকে
to a man	to men
Abla.— মানুষ হইতে	মানুষদের হইতে
from a man	from men
Poss.—মানুষের	মানুষদের
of a man	from men
Loca.—মানুষে	মানুষদিগেতে
in a man	in men
Voca.—হে মানুষ !	হে মানুষগণ !
Oh man !	Oh men !

Declension of all the masculine words are the same as in মানুষ।

ছাত্রী (Female student) Feminine

Singular	*Plural*
Nom.—ছাত্রী	ছাত্রীরা, ছাত্রীগণ
Obj.—ছাত্রীকে	ছাত্রীদিগকে
Inst.—ছাত্রীর দ্বারা	ছাত্রীদের দ্বারা
Dat.—ছাত্রীকে	ছাত্রীদিগকে
Abla.—ছাত্রী হইতে	ছাত্রীদের হইতে
Poss.—ছাত্রীর	ছাত্রীদের
Loca.—ছাত্রীতে	ছাত্রীদিগেতে, ছাত্রীদের
ছাত্রীর মধ্যে	মধ্যে
Voca.—হে ছাত্রি !	হে ছাত্রীগণ !

Declension of all the feminine words are the same in ছাত্রী ।

গাছ (tree) Neuter

Singular	*Plural*
Nom.—গাছ	গাছগুলি
tree	trees
Obj.—গাছকে	গাছগুলিকে
to a tree	to trees
Inst.—গাছদ্বারা	গাছগুলি দ্বারা
by a tree	by trees
Dat.—গাছকে	গাছগুলিকে
to a tree	to trees

Singular	Plural
Abla.—গাছ হইতে from a tree	গাছগুলি হইতে from trees
Poss.—গাছের of a tree	গাছগুলির of trees
Loca.—গাছে in a tree	গাছগুলিতে in trees
Voca.—হে গাছ ! Oh tree !	হে গাছ সকল ! Oh trees !

Declension of all the neuter words ending in অ are the same as in গাছ ।

পাতা (leaf) Neuter

Singular	Plural
Nom.—পাতা	পাতাগুলি
Poss.—পাতার	পাতাগুলির
Loca.—পাতায়	পাতাগুলিতে

All the other forms of পাতা are the same as in গাছ । Declension of all the neuter wo ds ending in আ are the same as in পাতা ।

Pronominal Words (সর্বনাম শব্দ)
আমি (I) 1st person

Singular	*Plural*
Nom.—আমি I	আমরা we
Obj.—আমাকে me	আমাদিগকে us
Inst.—আমার দ্বারা by me	আমাদের দ্বারা by us
Dat.—আমাকে me	আমাদিগকে us
Abla.—আমা হইতে from me	আমাদের হইতে from us
Poss.—আমার my, mine	আমাদের our, ours
Loca.—আমায়, আমাতে in me	আমাদিগেতে, আমাদের মধ্যে in us

তুমি (you) 2nd person

Singular	*Plural*
Nom.—তুমি you	তোমরা you
Obj.—তোমাকে you	তোমাদিগকে you

N.B. There is no vocative form of pronominal words.

88

Singular	Plural
Inst.—তোমার দ্বারা by you	তোমাদের দ্বারা by you
Dat.—তোমাকে to you	তোমাদিগকে to you
Abla.—তোমা হইতে from you	তোমাদের হইতে from you
Poss.—তোমার your	তোমাদের yours
Loca.—তোমায়, তোমাতে in you	তোমাদিগেতে, তোমাদের মধ্যে in you

আপনি (you)

Singular	Plural
Nom.—আপনি	আপনারা
Obj.—আপনাকে	আপনাদিগকে
Inst.—আপনার দ্বারা	আপনাদের দ্বারা
Dat.—আপনাকে	আপনাদিগকে
Abla.—আপনার হইতে	আপনাদের হইতে
Poss.—আপনার	আপনাদের
Loca.—আপনাতে আপনার মধ্যে	আপনাদিগেতে, আপনাদের মধ্যে

তুই (thou) 2nd person

Singular	*Plural*
Nom.—তুই	তোরা
Obj.—তোকে	তোদেরকে, তোদিগকে
Inst.—তোকে দিয়ে	তোদের দিয়ে
Dat.—তোকে	তোদেরকে
Abla.—তোর থেকে	তোদের থেকে
Poss.—তোর	তোদের
Loca.—তোতে, তোর মধ্যে	তোদিগেতে, তোদের মধ্যে

সে (he *or* she) 3rd person

Singular	*Plural*
Nom.—সে	তাহারা
Obj.—তাহাকে	তাহাদিগকে
Inst.—তাহার দ্বারা	তাহাদের দ্বারা
Dat.—তাহাকে	তাহাদিগকে
Abla.—তাহা হইতে	তাহাদের হইতে
Poss.—তাহার	তাহাদের
Loca.—তাহাতে, তাহার মধ্যে	তাহাদিগেতে,
	তাহাদের মধ্যে

তিনি (he *or* she) 3rd person
(*Polite or Respectful form of expression*)

Singular	*Plural*
Nom.—তিনি	তাঁহারা
Obj.—তাঁহাকে	তাঁহাদিগকে
Inst.—তাঁহার দ্বারা	তাঁহাদের দ্বারা
Dat.—তাঁহাকে	তাঁহাদিগকে
Abla.—তাঁহা হইতে	তাঁহাদের হইতে
Poss.—তাঁহার	তাঁহাদের
Loca.—তাঁহাতে,	তাঁহাদিগেতে,
তাঁহার মধ্যে	তাঁহাদের মধ্যে

কে (who) 3rd person

Singular	*Plural*
Nom.=কে	কাহারা
Obj.=কাহাকে	কাহাদিগকে
Inst.=কাহার দ্বারা	কাহাদের দ্বারা
Dat.=কাহাকে	কাহাদিগকে
Abla.—কাহা হইতে	কাহাদের হইতে
Poss.=কাহার	কাহাদের
Loca.=কাহাতে,	কাহাদিগেতে,
কাহার মধ্যে	কাহাদের মধ্যে

ইহা (it) 3rd person

Singular	Plural
Nom. = ইহা	ইহারা
Obj. = ইহাকে	ইহাদিগকে
Inst. = ইহার দ্বারা	ইহাদের দ্বারা
Dat. = ইহাকে	ইহাদিগকে
Abla. = ইহা হইতে	ইহাদের হইতে
Poss. = ইহার	ইহাদের
Loca. — ইহাতে,	ইহাদিগেতে,
ইহার মধ্যে	ইহাদের মধ্যে

Practise :—

তোমার নাম কি = What is your name ?

আমার নাম রাখাল = My name is Rakhal.

তুমি কোথায় থাক = Where do you live in ?

আমি গোপালপুরে থাকি = I live at Gopalpur.

তুমি কি কাজ কর = What is your profession ?

আমি একজন তাঁতী = I am a weaver.

তোমার পিতা কি কাজ করেন = What is your father's profession ?

আমার বাবাও ঐ কাজ করেন = My father also does the same work.

মুকুলের বয়স কত = What is the age of Mukul ?

তাহার বয়স সাত বৎসর = He is now seven years old.

*

LESSON 14

Conjugation of Verbs
(ধাতুরূপ)

যাওয়া (to go)
Present Indefinite Tense
(সামান্য বর্তমান কাল)

Singular	*Plural*
1st person	
আমি যাই (I go)	আমরা যাই (We go)
2nd person	
তুমি যাও (You go)	তোমরা যাও (You go)
আপনি যান (You go) *polite*	আপনারা যান (You go)
তুই যাস্ (Thou goest)	তোরা যা (You go)
3rd person	
সে যায় (He goes)	তাহারা যায় (They go)
তিনি যান (He goes) *polite*	তাঁহারা যান (They go) *polite*

Present Continuous Tense
(ঘটমান বর্তমান কাল)

1st person

আমি যাইতেছি
(I am going)

আমরা যাইতেছি
(We are going)

93

Singular	*Plural*

2nd person

তুমি যাইতেছ
(You are going)

আপনি যাইতেছেন
(You are going) *polite*

তুই যাইতেছিস্
(Thou art going)

তোমরা যাইতেছ
(You are going)

আপনারা যাইতেছেন
(You are going) *polite*

তোরা যাইতেছিস্
(You are going)

3rd person

সে যাইতেছে
(He is going)

তিনি যাইতেছেন
(He is going) *polite*

তাহারা যাইতেছে
(They are going)

তাঁহারা যাইতেছেন
(They are going) *polite*

Present Perfect Tense
(পুরাঘটিত বর্তমান)

1st person

আমি গিয়াছি
(I have gone)

আমরা গিয়াছি
(We have gone)

2nd person

তুমি গিয়াছ
(You have gone)

আপনি গিয়াছেন
(You have gone) *polite*

তুই গিয়াছিস্
(Thou hast gone)

তোমরা গিয়াছ
(You have gone)

আপনারা গিয়াছেন
(You have gone) *polite*

তোরা গিয়াছিস্
(You have gone)

Singular	*Plural*

3rd person

সে গিয়াছে
(He has gone)

তাহারা গিয়াছে
(They have gone)

তিনি গিয়াছেন
(He has gone) *polite*

তাঁহারা গিয়াছেন
(They have gone) *polite*

[There is no use of present perfect continuous tense in Bengali.]

Past Indefinite Tense
(সামান্য অতীত কাল)

1st person

আমি গিয়াছিলাম
(I went)

আমরা গিয়াছিলাম
(We went)

2nd person

তুমি গিয়াছিলে
(You went)

তোমরা গিয়াছিলে
(You went)

আপনি গিয়াছিলেন
(You went) *polite*

আপনারা গিয়াছিলেন
(You went) *polite*

তুই গিয়াছিলি
(Thou went)

তোরা গিয়াছিলি
(You went)

3rd person

সে গিয়াছিল
(He went)

তাহারা গিয়াছিল
(They went)

তিনি গিয়াছিলেন
(He went)

তাঁহারা গিয়াছিলেন
(They went) *polite*

Past Continuous Tense
(ঘটমান অতীত কাল)

Singular   Plural

1st person

আমি যাইতেছিলাম
(I was going)

আমরা যাইতেছিলাম
(We were going)

2nd person

তুমি যাইতেছিলে
(You were going)

তোমরা যাইতেছিলে
(You were going)

আপনি যাইতেছিলেন
(You were going) *polite*

আপনারা যাইতেছিলেন
(You were going) *polite*

তুই যাইতেছিলি
(Thou wert going)

তোরা যাইতেছিলি
(You were going)

3rd person

সে যাইতেছিল
(He was going)

তাহারা যাইতেছিল
(They were going)

তিনি যাইতেছিলেন
(He was going) *polite*

তাঁহারা যাইতেছিলেন
(They were going) *polite*

[There are no forms of past perfect and past perfect continuous tense in Bengali.]

Future Indefinite Tense
(সামান্য ভবিষ্যৎ কাল)

1st person

আমি যাইব
(I shall go)

আমরা যাইব
(We shall go)

Singular	*Plural*

2nd person

তুমি যাইবে
(You shall go)

তোমরা যাইবে
(You shall go)

আপনি যাইবেন
(You shall go) *polite*

আপনারা যাইবেন
(You shall go) *polite*

তুই যাইবি
(Thou shalt go)

তোরা যাইবি
(You shall go)

3rd person

সে যাইবে
(He will go)

তোমরা যাইবে
(You shall go)

তিনি যাইবেন
(He will go) *polite*

আপনারা যাইবেন
(They will go) *polite*

Future Continuous Tense

(ঘটমান ভবিষ্যৎ কাল)

1st person

আমি যাইতে থাকিব
(I shall be going)

আমরা যাইতে থাকিব
(We shall be going)

2nd person

তুমি যাইতে থাকিবে
(You shall be going)

তোমরা যাইতে থাকিবে
(You shall be going)

আপনি যাইতে থাকিবেন
(You shall be going) *polite*

আপনারা যাইতে থাকিবেন
(You shall be going) *polite*

Singular	Plural
তুই যাইতে থাকিবি	তোরা যাইতে থাকিবি
(Thou shall be going)	(You shall be going)

3rd person

সে যাইতে থাকিবে	তাহারা যাইতে থাকিবে
(He will be going)	(They will be going)
তিনি যাইতে থাকিবেন	তাঁহারা যাইতে থাকিবেন
(He will be going) *polite*	(They will be going) *polite*

Imperative

(অনুজ্ঞা)

কাজ কর = Do work.

বাড়ী যাও = Go home.

একটু বসুন = Please, wait a bit.

কাল আসিবেন = Please, come to-morrow.

In these sentences, কর, যাও, বসুন and আসিবেন are verbs in the imperative mood.

There are two kinds of Imperative :—

(a) বর্তমান অনুজ্ঞা (Present Imperative)

(b) ভবিষ্যৎ অনুজ্ঞা (Future Imperative)

(a) বর্তমান অনুজ্ঞা (Present Imperative)
Second Person (Direct)

তুমি, তোমরা	যাও (go)	কর (do)	খাও (eat) etc.
তুই	যা (goest)	কর্ (doest)	খা (eatest) ,,
তোরা	যা (go)	কর্ (do)	খা (eat) ,,
আপনি, আপনারা	যান (go)	করুন (do)	খান (eat) ,,

Third Person (Indirect)

	(যাউক, যাক্‌	করুক	খাউক, খাক্‌
সে	(Let him go	do	eat
তাহারা	(Let them go	,,	,,
	(যাউন	করুন	খাউন, খান
তিনি	(Let him go	do	eat
তাঁহারা	(Let them go	,,	,,

(b) ভবিষ্যৎ অনুজ্ঞা (Future Imperative)
Second Person (Direct)

তুই	যাস্‌	করিস্‌	খাস্‌
thou	goest	doest	eatest
তোরা	যাস্‌	করিস্‌	খা
you	go	do	eat
তুমি তোমরা	যাইও please go	করিও	খাইও
তুই, তোরা	যাইবি	করিবি	খাইবি
আপনি, আপনারা	যাইবেন	করিবেন	খাইবেন

Third Person (Indirect)

সে তাহারা	(যেন) যায়	করে	খায়
তিনি, তাঁহারা	(যেন) যান	করেন	খান

করিত, যাইত, etc. are used like English forms as—
'used to do', 'used to go' or 'would do', 'would go' etc.

আমি বা আমরা যাইতাম	I or we used to go
	I or we would go.
তুমি বা তোমরা যাইতে	You used to go.
আপনি বা আপনারা যাইতেন	You would go.
সে বা তাহারা যাইত	He or they used to go.
তিনি বা তাঁহারা যাইতেন	He or they would go.

Practise :—

তুমি কি কর ?
What do you do ?

আমি একখানা বই পড়ি।
I read a book.

তোমার ভাই কোথায় যাইতেছে ?
Where is your brother going ?

আমার ভাই পাঠশালায় যাইতেছে।
My brother is going to school.

তাহার বোন কি করিতেছে ?
What is his (or her) sister doing ?

তাহার বোন সেলাই করিতেছে।
His (or her) sister is sewing.

রমেশ একটি কবিতা পড়িয়াছে।
Ramesh has read a poem.

সীতাও কি কবিতাটি পড়িয়াছে ?
Has Sita also read the poem ?

আজ্ঞে না, সে পড়ে নাই।
No sir, she has not read it.

গোপাল, কাল তুমি কোথায় গিয়াছিলে ?
Gopal, where did you go yesterday ?

কাল আমি বেড়াইতে গিয়াছিলাম।
I went for a walk yesterday.

তোমার সহিত আর কে কে গিয়াছিল ?
Who else went with you ?

আমার সহিত ভূপাল ও নকুল গিয়াছিল।
Bhupal and Nakul went with me.

সুরেশ, তুমি কবে দিল্লী যাইবে ?
Suresh, when will you go to Delhi ?

আমি ডিসেম্বর মাসে দিল্লী যাইব।
I shall go to Delhi in December next.

তুমি যখন যাইবে আমাকে খবর দিও।
Please inform me, when you go.

কেন ? তুমিও যাইতে চাও নাহি ?
Why ? Do you intend to go there ?

LESSON 15

Use of Idiomatic Words

Nouns

লম্বা কথা বলিও না—Do not indulge in *tall talks*.

তিনি আমাকে কথা দিয়াছেন—He has given me his
words.

এ তো বেশ ভাল কথা—This is a good *idea*.

সে অনেক কথা—It is a long *story*.

ওসব বাজে কথা—That's all *nonsense*.

তুমি কোন কাজের নও—You are *good for nothing*.

তাহার কাজ গিয়াছে—He has lost his *job*.

ইহা বীরোচিত কার্য—It is an *act* of bravery.

এ বইয়ে আমার কাজ চলিবে না—This book will not
serve my *purpose*.

তুমি আমার মনে মত লোক—You are a man *to my
liking*.

তাহার মন এখন বেশ ভাল আছে—He is in his *humour*
now.

102

মন দিয়া পড়াশুনা কর—Prepare your lessons with *attention*.

তোমার মোটে মাথা নাই—You have no *brains* at all.

অতিরিক্ত আদর দিয়া ছেলেটির মাথা খাইও না—Do not *spoil* the child by over-indulgence.

রামবাবুই এখন আমাদের মাথা—We now look upon Ram Babu as our *head*.

তোমার কাছে কি আমার মাথা বিক্রী করেছি—Have I sold *myself* to you ?

মুখই মনের আয়মা—The *face* is the index of mind.

সেই মেয়েটি বড় মুখচোরা—That girl is very *shy*.

তাহার মুখ বড় খারাপ—He is very *foul-mouthed*.

তুমি আমাদের মুখ রক্ষা করেছ—You have saved us from *dishonour*.

ভাগ্যদেবী তাহার প্রতি মুখ তুলিয়া তাকাইলেন—Fortune *smiled* upom him.

আইনের চোখে সকলেই সমান—All are equal in the *eyes* of law.

তাহাকে চোখে চোখে রাখিও—Keep a *vigilent eye* on him.

আমার সৌভাগ্য দেখিয়া তোমার চোখ টাটায় কেন ?—Why do you *envy* my fortune.

সে তাড়তাড়ি চিঠিখানার উপর চোখ বুলাইয়া লইল—He *run his eyes* over the letter.

চোরটি চোখের নিমিষে অদৃশ্য হইয়া গেল।
The thief vanished *in the twinkling* of an eye.

ডাক্তার রোগীর হাত দেখিলেন।
The doctor felt the *pulse* of the patient.

এ ব্যাপারে আমার কোন হাত ছিল না।
I have no *hand* in this matter.

আমার হাতে এখন অনেক কাজ।
I have my *hand* full now.

চোরটি হাতে নাতে ধরা পড়িল।
The thief was caught *red-handed*.

রমেশের হাতের লেখা ভাল।
Ramesh writes a good *hand*.

ইংরেজরা মীরজাফরকে হাত করিল।
The English *won over* Mirzafar.

এক পা-ও নড়িও না = Do not move a *step*.

এই পদের বেতন পাঁচশত টাকা।
This *post* carries a salary of five hundred rupees.

নিজের পায়ে দাঁড়াবায় চেষ্টা কর।
Try to stand on your own *legs*.

একাজে পদে পদে বিপদ।
There are troubles at *every step* in this work.

Adjectives

পাকা লোক = *expert* man.

104

পাকা চুল—*grey* hair.

পাকা সোনা—*pure* gold.

পাকা বাড়ী—*brick-built* house.

পাকা কাঠ—*seasonal* timber.

পাকা কথা—*final* word.

পাকা খবর—*authentic* news.

পাকা মাতাল—a *dead* drunkard.

পাকা রাঁধুনী—an *expert* cook.

পাকা রং—*fast* colour.

পাকা চাকুরি—a *permanent* post.

ফোড়াটা পাকিয়াছে—The boil has *come to a head*.

ছেলেটা পাকা বদমাস।

The boy is a *confirmed* scoundrel.

কাঁচা চুল—*black* hair.

কাঁচা বয়স—*tender* age.

কাঁচা লোক—an *inexperienced* man.

কাঁচা রাস্তা—an *unmetalled* road.

কাঁচা দুধ—*unboiled* milk.

কাঁচা বাড়ী—*mud-build* house.

কাঁচা মাংস—*raw* meat.

কাঁচা আম—*green* mango.

কাঁচা রং—*loose* colour.

ছেলেটি অঙ্কে কাঁচা—The boy is *weak* in Mathematics.

ছোট ছেলে—a *young* boy.

ছোট বাড়ী—a *small* house.

ছোট চুল—*short* hair.

ছোট নজর—*mean*-mindedness.

ছোট লোক—*low class* people.

ছোট রাস্তা—a *narrow* road.

ছোট গ্রাম—a *hamlet.*

বড় রাস্তা—a *high* road.

বড় বংশ—a *noble* family.

বড় বিপদ—a *great* danger.

বড় কারবার—an *extensive* business.

বড় মানুষ—a *rich* man.

বড় কথা—*tall* talks.

বড় শীত—*biting* cold.

বড় দিন—*Christmas* day.

বড় লাট—the *Viceroy.*

বড় লোকে বড় কথা—*great* men have *great* concerns
(or *big* man have a *long* tongue).

ভাল দিন—an *auspicious* day.

ভাল চেহারা—a *lovely* appearance.

ভাল মানুষ—a *good* man.

106

ভাল খবর = a *good* news.

ভাল উপন্যাস = an *excellent* novel.

তাহার জ্বর এখন ভাল হইয়াছে।
He is now *cured* of fever.

ভাল কথা, আজ বৈকালে আমার সহিত দেখা করিও।
By the by, see me this afternoon.

মন্দ ভাগ্য = *bad* luck.

মন্দ গতি = *slow* movement.

মন্দ মন্দ বাতাস = *gentle* breeze.

মন্দ সংসর্গ = *bad* company.

মন্দ সময় = *evil* days.

মন্দ বাজার = *dull* market.

একথা মন্দ নয় = This is not a *bad* idea.

ইহা মন্দের ভাল = This is a *lesser* evil.

শক্ত অঙ্ক = a *difficult* sum.

শক্ত অসুখ = a *serious* illness.

শক্ত প্রশ্ন = a *stiff* question.

শক্ত মাটি = *hard* soil.

শক্ত মাংস = *tough* meat.

নরম মাটি = *soft* soil.

নরম প্রাণ = *tender* heart.

নরম বাজার = *dull* market.

নরম মেজাজ=*mild* temper.

নরম পেট=*loose* bowels.

নরম কথা=*soft* tone.

নরম গলা=*low* voice.

সরু তার=*thin* wire.

সরু গলি=*narrow* lane.

সরু ডাল=*slender* branch.

সরু সূতা=*fine* yarn.

সরু রাস্তা=*narrow* path.

সরু চাল=*fine* rice.

মোটা লোক=a *fat* man.

মোটা কাপড়=a *coarse* eloth.

মোটা চাল=*coarse* rice.

মোটা মাহিনা (বেতন)=a *fat* salary.

মোটা বুদ্ধি=*dull* understanding.

মোটা কাগজ=*thick* paper.

মোটা নিব=a *broad* nib.

মোটা চাল-চলন=*plain* living.

মোটা সুদ=*high rate* of interest.

ঠাণ্ডা বাতাস=a *cool* breeze.

ঠাণ্ডা সরবৎ=*cold* drink.

ঠাণ্ডা মেজাজ=of *calm* or *sweet* temper.

গোপাল বেশ ঠাণ্ডা ছেলে=Gopal is a *quiet* boy.

গরম কাপড়=*warm* clolh.

গরম খাদ্য=*rich* dish.

গরম বক্তৃতা=an *excited* speech.

টাকার গরম=*pride* of money.

তাহার রক্ত গরম=His blood is *up*.

বড় বাবুর এখন মেজাজ গরম।

The manager is in *temper* now.

পাত্‌লা কাপড়=*thin* cloth.

পাত্‌লা চুল=*thin* hair.

পাত্‌লা দই=*watery* curd.

পাত্‌লা পথ্য=*liquid* diet.

পাত্‌লা ঘুম=*light* sleep.

পাতলা কাগজ=*thin* paper.

ঘন বন=*thick* forest.

ঘন কুয়াসা=*dense* fog.

ঘন বসতি=*thick* population.

ঘন অন্ধকার=*deep* darkness.

ভয়ানক ডাকাতি=a *fearful* robbery.

ভয়ানক কাণ্ড=a *sensational* incident.

ভয়ানক লোক=*dangerous* man.

ভয়ানক অগ্নিকাণ্ড=a *terrible* fire.

ভয়ানক সংবাদ=an *alarming* news.

ভয়ানক দৃশ্য=a *horrible* sight.

ভরানক জ্বর=*high* fever.

ভয়ানক গরম=*severe* heat.

ভয়ানক ব্যাপার=a *dreadful* affair.

Verbs

খুব সকালে উঠা=*to rise* early in the morning.

রাগিয়া উঠা=*to fly into a rape (to flare-up)*.

গড়িয়া উঠা=*to take shape*.

ছেলেটির দাঁত উঠিতেছে=The child *is teething*.

ট্রেনে উঠা=*to take* train.

গাছে উঠা=*to climb* a tree.

ট্রামে উঠা=*to board* a tram-car.

জাহাজে উঠা=*to get on board* a ship (*to take* ship).

গাড়ীতে উঠা=*to get into* a carriage.

পাহাড়ে উঠা=*to go up* (or *to climb*) a hill.

দাগ উঠানো=*to wash off* a stain.

কিছুতেই তোমার মন উঠে না=Nothing *satisfy* you.

কলম কাটা=*to mend* a pen.

পেন্সিল কাটা=*to sharpen* a pencil.

চুল কাটা=*to clip* (or, *crop*) the hair.

110

নখ কাটা=*to pare* one's nails.

দাড়ি কাটা=*to shave.*

শস্য কাটা=*to reap* the corn.

কাঠ কাটা (ফাড়া)=*to chop* (or *to hew* wood).

গাছ কাটা=*to fell* a tree.

ঘাস কাটা=*to mow* grass.

সাঁতার কাটা=*to swin.*

সাপে কাটা=*to be bitten* by a snake.

কুয়া কাটা=*to sink* a well.

পুকুর কাটা=*to excavate* a pond.

সিঁদ কাটা=*to burgle.*

সময় কাটান=*to pass one's* time (or, *to kill* time).

জাবর কাটা=*to chew the cud* (or, *to ruminate*).

ট্রেনে কাটা=*to be run over* by a train,

টেরি কাটা=*to part* one's hair.

তাহার নাম কাটা গিয়াছে।
His name was *struk off* the rolls.

হাওয়া খাওয়া=*to take* the air.

হোঁচট্ খাওয়া=*to stumble.*

আছাড় খাওয়া=*to slip and fall.*

পান খাওয়া=*to chew* betel leaves.

সুদ খাওয়া=*to charge interest* on money lent.

111

ঘুষ খাওয়া = *to take* bribe.

বেত খাওয়া = *to get* a caning.

তামাক খাওয়া = *to smoke*.

ভয় খাওয়া = *to get frightened*.

কিল খেয়ে কিল চুরি করা = *to pocket* an insult.

ডিগ্‌বাজী খাওয়া = *to turn somersaults*.

মার খাওয়া = *to be beaten* (or, *assaulted*).

জল খাওয়া = *to drink* water.

আমি ভাত খাইয়াছি = I have *had* my meal.

সে অনে টাকা খাইয়াছে।
He has *taken* a large sum as bribe.

আমি আপনার অনেক খাইয়াছি।
I *have eaten* much of your salt.

সে খুব বকুনি খাইয়াছিল = He got a good scolding.

তোমার বন্ধু তোমার মাথা খাইবে।
Your friend *will bring* you *to ruin*.

দরজা খোলা = *to open* the door.

দোকান খোলা = *to open* a shop (or *to set up* a shop).

বাক্স খোলা = *to open* a box.

গেরো খোলা = *to untie* a knot.

টুপি খোলা = *to take off* the hat.

বোতাম খোলা = *to undo* a button.

দরজার তালা খোলা = *to unlock* a door.

জুতা খোলা = *to take off* one's shoes.

জামা খোলা = *to put off* one's shoes.

জাহাজ খোলা = *to set* sail.

প্রাণ খুলিয়া কথা বলা = *to have a heart to heart* talk.

জুতার ফিতা খোলা = *to untie* the shoe-lace.

তাহারা নৌকাটি খুলিয়া দিল।
They *unfastened* the boat.

এখনই এখান হইতে চলিয়া যাও।
Leave this place at once.

ঘড়ি ছাড়া আমার চলে না।
I *cannot do* without a watch.

সেদিন চলিয়া গিয়াছে = Those days are *gone by*.

তোমার ব্যবসায় কেমন চলিতেছে?
How is your business *getting on*?

মাসে একশ টাকার কমে আমার চলে না।
I *cannot manage* with less than one hundred rupees a month.

এ আইন এখনও চলে = This law is still *in force*.

এখানে জোর জবরদস্তি চলিবে না।
Physical force or corecion *will be of no avail* here.

মেকি টাকা চালান = *to utter* a counterfeit coin.

পাখা চালান = *to switch on* the fan.

113

খরচ চালান=*to meet* the expenses.

কারবার চালান=*to carry* on a trade (or businets).

প্রস্তাব চলিতেছে=a proposal is *on foot.*

কথাবার্তা চলিতেছে=negotiations are *going on.*

পা চালান=*to quicken* one's pace.

এঞ্জিন চালান=*to drive* an engine.

জাহাজ চালান=*to steer* a ship.

গাড়ী চালান=*to drive* a car.

পতাকা তোলা=*to hoist* a flag.

চাঁদা তোলা ‒ *to raise* subscriptions.

দাঁত তোলা=*to draw* (or, *extract*) a tooth.

কারবার তোলা=*to wind up* a business.

জল তোলা=*to draw* water.

হাত তোলা=*to raise* one's hand.

ঘর তোলা=*to erect* a hut.

নোঙর তোলা=*to weigh* anchor.

ফটো তোলা=*to snap* a photograph.

ফুল তোলা=*to pluck* a flower.

পাঁচিল তোলা=*to raise* a wall.

চুল বাঁধা=*to braid* the hair.

ঘর বাঁধা=*to erect* or *to build* a house.

পাগড়ী বাঁধা=*to put on* a turban.

114

বই বাঁধা = *to bind* a book.

বাঁধা মহিনা = *fixed* salary.

হাত-পা বাঁধা = **to be bound** hand and foot.

বাঁধ বাঁধা = **to construct** an embankment.

আঁটি বাঁধা = **to bind** into a sheaf.

দাঁত বাঁধা = **to have artificial** teeth set.

কথা রাখা = **to comply** with one's request.

চোখ রাখা = **to keep** an eye on.

গরু রাখা = **to tend** cows.

মনে রাখা = **to bear in mind.**

হিসাব রাখা = **to keep** an account.

মাথা ঠাণ্ডা রাখা = **to keep** one's brain cool.

তাল রাখা = **to keep** time (to a song).

ফেলিয়া রাখা = **to defer, to put off.**

টাকাগুলি ব্যাঙ্কে রাখুন।

Please deposit the money with the bank.

চাকর রাখা = **to engage** a servant.

মানীর মান রাখিও।

Show deference to a man to whom **honour** is due.

ওকথা এখন রাখিয়া দাও।

Let that matter be **dropped** now.

পড়া ছাড়া = **to give up** one's studies.

115

চাকুরী ছাড়া = to resign one's post.

কাজ ছাড়া = to leave off work.

খোসা ছাড়ান = to peel or skin (fruit, vegetable etc.)

গরু ছাড়া = to let a cow loose.

কোন অভ্যাস ছাড়া = to give up a habit.

নৌকা ছাড়া = to let go a boat.

এ সুযোগ ছাড়িও না = Do not miss this opportunity.

সে পাখীটা ছাড়িয়া দিল = He set the bird free.

কাপড় ছাড়া = to change one's clothes.

আমি তোমাকে এত সহজে ছাড়িব না।
I will not let you go so easily.

মাছ ধরা = to catch fish.

চোর ধরা = to catch a thief.

ফল ধরা = to bear fruit.

গাড়ী ধরা = to catch a train.

মাথা ধরা = to have or get a headache.

ফুল ধরা = to be in flower.

দোষ ধরা = to find fault.

ভুল ধরা = to detect a mistake.

গলা ধর = to cause irritation in the throat.

আমার পা ধরিয়া গিয়াছে = My legs refuse to move.

তাহার আনন্দ আর ধরে না = His joy knows no bounds.

116

মুক্তি দেওয়া = to set free, to set at liberty.

ছাড়িয়া দেওয়া = to let go, to let loose, to give up.

মনোযোগ দেওয়া = to attend to, to pay attention to.

উড়াইয়া দেওয়া = to squander away, to run through.

গালি দেওয়া = to call names.

চক্ষে ধূলি দেওয়া = to throw dust in one's eyes.

ফাঁকি দেওয়া = to deceive.

হামাগুড়ি দেওয়া = to crawl.

পাহারা দেওয়া = to keep watch over, to guard.

হুকুম দেওয়া = to order, to command.

বিসর্জন দেওয়া = to give up, to relinquish,

প্রতিমা বিসর্জন দেওয়া = to immerse an image.

জল দেওয়া = to water, to sprinkle water.

যন্ত্রণা দেওয়া = to persecute or ill-treat, to torture.

আশ্রয় দেওয়া = to give one shelter.

পরীক্ষা দেওয়া = to sit for an examination.

প্রশ্রয় দেওয়া = to indulge.

ট্যাক্স দেওয়া = to pay taxes.

আশ্বাস দেওয়া = to give assurances.

সান্ত্বনা দেওয়া = to comfort or to console a person.

খাজনা দেওয়া = to pay rent.

আগুন লাগা = to catch fire.

117

ধাক্কা লাগান = to **run** against.

মলম লাগান = to **apply** ointment.

মনে লাগা = to **catch** one's fancy.

টাকা লাগা = to **cost** money.

জোড়া লাগা = to **be joined**.

ঝাল লাগা = to **taste** pungement.

গাছ লাগান = to **plant** a tree.

কাজে লাগান = to **turn** something to **account**.

বোতাম লাগান = to **fasten** buttons.

খামে টিকিট লাগান = to **stick a stamp on** an envelope.

কাজে লাগিয়া যাও = **Set yourself to work**.

সত্য হওয়া = to **come true, to prove true**.

প্রকাশ হওয়া = to **come out, to come to light**.

রটনা হওয়া = to **be remoured**.

দূর হওয়া = to **be off**.

অধীর হওয়া = to **be impatient**.

নিশ্চিন্ত হওয়া = to **be assured**.

শান্ত হওয়া = to **calm down**.

মনঃক্ষুন্ন হওয়া = to **be mortified, to take** to heart.

অর্থের অনটন হওয়া = to **be in want of** money.

ব্যস্ত হওয়া = to **be in** haste to **be in hurry**.

অভিযুক্ত হওয়া = to **be charged** with.

118

তোমার পড়া হইয়াছে কি ?
Have you prepared your lessons ?

তাহার কাজের জবাব হইয়াছে ।
He has been dismissed from service.

নিষ্কৃতি পাওয়া = to get rid of.

ক্ষুধা পাওয়া = to feel hungry.

ঘুম পাওয়া = to feel sleepy.

শীত পাওয়া = to feel chilly.

ভূতে পাওয়া = to be possessed by a ghost.

ভয় পাওয়া = to be afraid of.

হাসি পাওয়া = to be inclined to laugh.

আইন ভঙ্গ করা = to break the law.

নারিকেল ভাঙ্গা = to crack a cocoanut.

গম ভাঙ্গা = to grind wheat.

জেল ভাঙ্গিয়া পলায়ন করা ।
to break away from the prison.

হাটে হাঁড়ি ভাঙ্গা = to let the cat out of the bag.

শরীর ভাঙ্গিয়া পড়া = to break down one's health.

সে অনেক টাকা ভাঙ্গিয়াছে ।
He has embezzled a large sum of money.

এই নোটখানা ভাঙ্গাও = Cash this currency note.

গল্প বলা = to tell a story.

সত্য বলা = to speak the truth.

119

মিথ্যা বলা = to **tell** lies.

পড়া বলা = to **say** one's lessons.

কড়া কথা বলা = to **use** harsh words.

তোমার যাহা বলার আছে বল = **Say your say.**

তুমি কোথায় থাক ? = **Where do you put up ?**

রাজেন বাবু বিদেশে থাকেন = **Rajen Babu lives abroad.**

নিশ্চিন্ত থাকা = to **rest assured**.

সে কাহারও কথায় থাকে না ।

He keeps himself aloof from other business.

সে যেমন আছে তেমনই থাকিতে দাও ।

Let him remain as he is.

অসুখে পড়া = to **fall ill.**

সরিয়া পড়া = to **slip** off, to **glide away.**

মনে পড়া = to **recollect,** to **call up.**

ধরা পড়া = to **be caught.**

ঝড়ে পড়া = to **be blown down by the storm.**

পিছলে পড়া = to **slip.**

পায়ে পড়া = to **fall at** one's feet.

মূর্চ্ছিত হইয়া পড়া = to **swoon,** to **faint.**

চিৎ হইয়া পড়া = to **fall flat on** one's back.

খরচ পড়া = to **cost.**

গাড়ী চাপা পড়া = to **get** run over.

প্রকাশ হইয়া পড়া = to **come out**, to **leak out**.

নিঃস্ব হইয়া পড়া = to **be reduced to** poverty.

ফ্যাসাদে পড়া = to **be got into scrapes**.

খাটা = to **labour**, to **toil**.

খাটা খাটুনি = **toil and moil**.

মানুষ খাটান = to **employ** a hired labourer.

আমায় কাছে তোমার চালাকি খাটিবে না।
Your trick will not **go down** with me.

আমার মশারীটা খাটাও = **Put up** my mosquito curtain.

ব্যবসায়ে কত টাকা খাটিয়েছ?
How **much** **money** have you **invested** in
business?

বুদ্ধি খাটানো = to **use** one's intelligence.

তাঁবু খাটানো = to **pitch** a tent.

সুদে টাকা খাটানো = to **lend** money at interest.

121

LESSON 16

Idiomatic use of Particles

বটে (Yes, indeed, it is true, exactly, so, etc.)

তাই বটে—*that is so.*

তাই ত বটে !—*it is exactly so !*

লোকটি কে বটে হে ?—Who is the man, *you think* ?

বটে ! সুরেন বৃত্তি পেয়েছে ?
It is so ? Has Suren secured a scholarship ?

যা রটে তার কিছু বটে ।
Rumours sometimes *come true.*

তোমার কথাই সত্য বটে —*Yes*, you are right.

ত, তো (But, to be sure, only, if, wonder, why)

তুমি ত কালকের ছেলে ।
You are *but* a child of yesterday.

সে ত আর কচি ছেলে নয় ।
He is not a mere stripling, *to be sure.*

আজ ত রবিবার—Today is Sunday, *to be sure.*

122

তুমি তো সকলই জান।
You know everything *too well.*

পার তো কর—Do it *if* you can.

ভাল ত—I *hope* you are well.

বেশ ত—*Very good.*

কাল ত তোমার জন্মদিন।
Tomorrow is your birthday, *to be sure.*

পাশ করিলেই ত আর বিদ্যা হয় না।
None can be learned man by *only* passing examinations.

"আমি তো তোমারে চাহিনি জীবনে"।
Never did I *expect* you in life.

ই (It is, even, just, alone, no other than, very, as soon as, etc.)

চক্‌চক্ করিলেই সোনা হয় না।
All that glitters is not gold.

লোভই যত অনর্থের মূল।
It is greed that is the root of all evils.

যতই পড়িবে ততই শিখিবে।
The more you read, *the more* you will learn.

এই জিনিসটাই আমি চাই।
This is *just* the thing I want.

যত শীঘ্র, ততই ভাল—*The sooner, the better.*

123

মৃত্যুই কেবল তাহাকে প্রকৃত শান্তি দিতে পারে।
Death *alone* can give him real peace.

ও (Too, also, even, neither...nor, whether,
or, etc.)

শিশুও এমন কাজ করিবে না।
Even a child will not do such a thing.

তুমিও যাইবে না, আমাকেও যাইতে দিবে না।
You will *neither* go yourself *nor* let me go.

তুমিও দেখিতেছি তোমার ভাইয়ের সঙ্গে একমত।
You *too*, I see, are of the same opinion with
your brother.

দশ হাজার টাকা পাইলেও সে মিথ্যা কথা বলিবে না।
Even if, he gets ten thousand rupees, he will
not tell a lie.

না খাইয়া মরিলেও তাহার কাছে সাহায্য চাহিব না।
I will not ask for help *even though* I die of
starvation.

যেন (As if, as though, supposing, see, etc.)

ইহা যেন বিনা মেঘে বজ্রাঘাত।
It is *like* a bolt from the blue.

জীবন যেন একটা স্বপ্ন।
Life is, *as it were*, a dream.

124

আপনাকে যেন কোথায় দেখিয়াছি ।
I *think* I met you somewhere before.

দেখ যেন ভুলিয়া যাইও না ।
See *that* you do not forget it.

আমার মাথায় যেন বাজ পড়িল ।
I *felt like* one struck by a thunderbolt.

আর (Else, more, whether-or, and etc.,)

তা আর বলতে—That goes *without* saying.

আর কি চাও—What *else* do you want ?

আমার আর সহ্য হয় না—I cannot bear *any more*.

মর আর বাঁচ তোমাকে ইহা করিতেই হইবে ।
Live *or* die, you must do it.

টাকা কি আর অমনি আসে ।
Does money *ever* come itself ?

রাম আর শ্যাম আসিতেছে ।
Ram *and* Shyam are coming.

বুঝি (I think, I suppose, to appear, or seem, etc.)

কাল বুঝি তুমি বিলেত যাবে ?
I *guess* you will go to Eng'and to-morrow.

আমাকে বুঝি বোকা পেয়েছ ?
Do you take me for a fool ?

আপনার বুঝি এখানে অসুবিধা হইতেছে ।
I *fear* you do not feel comfortable here.

125

বরং (Rather, had better, on the contrary etc.)

তুমি বরং এখানেই অপেক্ষা কর ।
You *rather* stay here.

এই যন্ত্রণার চেয়ে মৃত্যু বরং ভাল ।
Better death than these sufferings.

আপনি বরং ডাক্তার রায়কে খবর দিন ।
You *had better* call in D . Roy.

LESSON 17

Idioms for Everyday Interest

Time and Whether :

কন্‌কনে শীত—biting cold.

গুড়ি-গুড়ি বৃষ্টি হওয়া—to drizzle.

অনাবৃষ্টি—drought.

ঝিরঝিরে হাওয়া—mild breeze.

এক পশলা বৃষ্টি—a heavy shower of rain.

বিনামেঘে বজ্রঘাত—a bolt from the blue.

দুঃসময়—bad times ; evil days.

সময় কাটান—to pass the time,

আজকাল—now-a-days.

যুগে যুগে—from age to age.

আজ কি বার ?
What day of the week is it ?

এখন কয়টা বাজিয়াছে ?
What is the time now ?

আমার ঘড়িতে ৭টা বাজিয়াছে।
It is seven O'clock by my watch.

তোমার ঘড়িটা ফাষ্ট চলিতেছে।
Your watch is gaining time.

তাহার ঘড়িটা শ্লো যাইতেছে।
His watch is losing time.

আমার ঘড়িটা ঠিক সময় রাখে।
My watch keeps correct time.

Health, Diseases, Medicines, etc. :

ছোঁয়াচে রোগ—contagious disease.

সংক্রামক রোগ—infectious disease.

সেঁক দেওয়া—to foment.

পুল্টিশ দেওয়া—to aply poultice.

টীকা লওয়া—to get oneself vaccinated.

ফোড়াটা পাকিয়াছে—The boil has suppurated.

ভেদবমি—purging and vomiting.

পাতলা দাস্ত—loose motion.

কোষ্ঠবদ্ধতা—constipation.

ভাল স্বাস্থ্য—sound health.

সবল স্বাস্থ্য—robust health.

পুনঃ স্বাস্থ্য লাভ করা।
to recoup one's health.

সে অসুস্থ হইয়া পড়িয়াছে।
He has fallen ill.

আমার শরীরটা ম্যাজ ম্যাজ করিতেছে।
I feel out of sorts.

তাহার গা বমি বমি করিতেছে।
He feels nausea.

আমার বুক ধড়্ ফড়্ করিতেছে।
My heart is palpitating.

Food and drink :

আমার ভাল ক্ষুধা নাই—I have a poor appetite.

প্রাতরাশ (সকালের আহার)—breakfast.

মধ্যাহ্নের আহার (জলযোগ)—lunch.

(মধ্যাহ্ন কিম্বা সান্ধ্য) ভোজন—dinner.

গুরুপাক খাদ্য—heavy food.

লঘুপাক খাদ্য—light food.

নিরামিষ-ভোজী—a vegetarian.

মাংসভোজী—a meat eater, a carnivorous.

ফলভোজী—fruitarian.

আশা মিটাইয়া খাওয়া—to eat one's fill.

ক্ষুধা বাড়ান—to whet one's appetite.

ভাত বাড়া—to serve rice.

কুটনা কুটা—to cut up vegetables.
মাংস কাটা—to chop up meat.

জলযোগ—light refreshment.

বড ভোজ—a sumptuous feast.

Games and sports :

ব্যাট দিয়া বল মারা—to bat.

একশত রাণ করা—to make a century.

লুফিয়া আউট করা—to catch out.

উইকেটে বল মারিয়া আউট করা—to stump out.

তাস বিলি করা—to deal cards.

তাস ভাঁজা—to shuffle cards.

তাস বা পাসা খেলা—to play at cards or dice.

পাশার গুটি চালা—to move the counters.

ফুটবল খেলা—to play football.

খালি পায় খেলা—to play bare-footed.

গোল দেওয়া—to score a goal.

মাথা দিয়া বল মারা—to head the ball.

ক্রিকেট বল দেওয়া—to bowl.

যে বল দেয়—bowler.

পাশার দান—a throw of the dice.

খোলা জায়গার খেলা—an outdoor game.

কানামাছি খেলা—to play an blindman's buff.

লুকোচুরি খেলা—to play hide and seek.

ছিনিমিনি খেলা—to play ducks and drakes.

Schools, Colleges, Holidays, Meetings, etc. :

স্কুল বা কলেজে ভর্তি হওয়া—to be admitted into a school or college.

ছুটির জন্য দরখাস্ত করা—to apply for a leave.

পরীক্ষায় পাশ হওয়া—to pass the examination.

পাশ নম্বর পাওয়া—to secure pass marks.

সভা আহ্বান করা—to convene (or call) a meeting.

জনসভা—a public meeting.

বিরাট সভা—mammoth meeting.

প্রতিবাদ সভা—a protest meeting.

স্মৃতি সভা—a memorial meeting.

শোক সভা—a condolence meeting.

মৃত্যু বার্ষিকী—death anniversary.

সভাপতিত্ব করা—to take the chair, to preside over.

সভার কার্যতালিকা—agenda of the meeting.

হৃদয়গ্রাহী বক্তৃতা—a moving or impressive speech.

প্রস্তাব উত্থাপন করা—to move a resolution.

সভা ভঙ্গ করা—to dissolve a meeting.

চিঠির মুসাবিদা করা—to draft a letter.

হাজিরা বই—an attendance register.

Trade and Commerce :

মাল আমদানী করা—to import goods.

চোরা লাজার—black market.

কিস্তিবন্দীতে টাকা দেওয়া—to pay by instalment.

নগদ—on cash.

বাকী—on credit.

অংশীদার—partner.

দেউলিয়া হওয়া—to be insolvent.

মাল রপ্তানী করা—to export goods.

যৌথ কারবার—a joint-stock company, a limited
                                        concern.

হুণ্ডী—a bill of exchange.

টাকা খাটান—to lay out (or, to invest) money.

টাকা ভাঙ্গান—to change a rupee or a coin.

নোট ভাঙ্গান—to cash a note.

অন্তর্বাণিজ্য—internal trade.

বহির্বাণিজ্য—external trade.

দেনা করা—to run into debt.

Law and Law-courts :

বাদী—plaintiff.

বিবাদী—defendant, respondent.

আসামী—accused.

সাক্ষী—witness.

নিম্ন আদালত—the lower court.

রায় দেওয়া—to deliver judgement.

সশ্রম কারাদণ্ড—rigorous imprisonment.

দ্বীপান্তর—transportation for life.

মোকদ্দমা খারিজ করা—to dismiss a case.

মোকদ্দমা নিষ্পত্তি করা—to compromise a case.

আপীল রুজু করা—to file an appeal.

আপীল নামঞ্জুর করা—to reject an appeal.

আপীল মঞ্জুর করা—to admit an appeal.

সম্পত্তি ক্রোক করা—to attach a property.

ক্ষতিপূরণ মঞ্জুর করা—to award damages.

একতরফা ডিক্রী—ex-parte decree.

মোকদ্দমার কাগজপত্র—the records of the case, or, the case-records.

আপীল আদালত—the appellate court.

ফোজদারী আদালত—criminal court.

নালিশ করা—to file a suit.

ভরণ-পোষণের নালিশ—a suit for maintenance.

উচ্ছেদের নালিশ—a suit for ejectment.

ডিক্রী জারী করা—to execute a decree.

নীলাম করা—to put up to auction.

মানহানির মোকদ্দমা—a defamation case.

চুরির মোকদ্দমা—a theft case.

133

খুনের মোকদ্দমা—a murder case.

রাজদ্রোহিতার মোকদ্দমা—a sedition case.

জালিয়াতির মোকদ্দমা—a forgery case.

সাক্ষ্য দেওয়া—to give evidence, to depose.

War, Arms and Ammunition :

তাঁবু ফেলা—to pitch a tent.

তাঁবু তোলা—to strike a tent.

বোমারু বিমান—a bomber.

ডুবো জহাজ—a submarine.

ছোঁ মারা বিমান—a dive bomber.

যুদ্ধে অবতীর্ণ হওয়া—to take the field.

যুদ্ধের অভিযান আরম্ভ করা—to open a military
campaign.

শত্রুর সম্মুখীন হওয়া—to encounter an enemy.

হাতাহাতি যুদ্ধ—a hand to hand fight.

শত্রু শিবির—the camp of the enemy.

জঙ্গী বিমান—a fighter.

গুলি ছোড়া—to open fire.

সাঁজোয়া গাড়ী—a tank.

যুদ্ধক্ষেত্র—battle field.

×   ×   ×

LESSON 18

Voice

(বাচ্য)

Voice is the form of speech which denotes whether the subject or the object of a verb is prominent in the sentence. There are three kinds of of voice in Bengali.

1. কর্তৃবাচ্য (Active Voice),
2. কর্মবাচ্য (Passive Voice),
3. ভাববাচ্য (Intransitive Passive Voice).

1. In the Active Voice (কর্তৃবাচ্য) the subject is prominent in the sentence ; as :—

যদু বই পড়ে—Jadu reads a book.

মধু ফুল তোলে—Madhu plucks flowers.

2. In the Passive Voice (কর্মবাচ্য) the object is prominent in the sentence and the subject takes the third case-ending কর্তৃক or দ্বারা (by) ; as :—

যদু কর্তৃক একখানি বই পড়া হয় ।

A book is read by Jadu.

135

মধু কর্তৃক ফুল তোলা। হয় ।

Flowe·s are plucked by Madhu.

3. In the Intransitive Passive Voice (ভাববাচ্য) the verb is always intransitive and accords neither with the subject nor with the object. It remains always in the third person ; as :—

আমাদ্বারা চলা যার না—I am unable to move (আমি চলিতে পারি না) ।

তাহাদ্বারা যাওয়া হইয়াছিল—He went (সে গিয়াছিল) ।

A few examples of Active (কর্তৃ), Passive (কর্ম) and Intransitive Passive (ভাব) Voice are given below :—

Active voice (কর্তৃবাচ্য)	*Passive voice* (কর্মবাচ্য)
আমি রুটি খাই (I eat bread)	আমা কর্তৃক রুটি খাওয়া হয় ।
যে ফল খায় (He eats fruit)	তাহা (তৎ) কর্তৃক ফল খাওয়া হয় ।
আমি চিঠি লিখি. (I write a letter)	আমা (নৎ) কর্তৃক চিঠি লিখা হয় ।
সে আমাকে দেখে (He sees me)	তাহা দ্বারা (তৎ কর্তৃক) আমি দৃষ্ট হই ।
আমি গ্রন্থখানি পাঠ করিয়াছি (I have read the book)	আমা (মৎ) কর্তৃক গ্রন্থখানি পঠিত হইয়াছে ।
রামবাবু একখানা মোটর গাড়ী কিনিয়াছেন—Rambabu has bought a motor car.)	রামবাবু কর্তৃক একখানা মোটর গাড়ী ক্রীত হইয়াছে ।

136

Active voice (কর্তৃবাচ্য)	(*Passive voice* (কর্মবাচ্য)
কলম্বস আমেরিকা আবিষ্কার করিয়াছিলেন (Columbus discovered America.)	কলম্বস কর্তৃক আমেরিকা আবিষ্কৃত হইয়াছিল।

Active voice (কর্তৃবাচ্য)	*Intransitive passive voice* (ভাববাচ্য)
আমি যাই (I go)	আমা (নং) কর্তৃক যাওয়া হয়।
সে ঘুমায় (He sleeps)	তৎ কর্তৃক ঘুমান হয়।
আমরা গিয়াছিলাম (We went)	আমাদের দ্বারা যাওয়া হইয়াছিল।
তাহারা দৌড়াইয়াছিল (They ran)	তাহাদের দ্বারা দৌড়ান হইয়াছিল।

LESSON 19

Bengali Conversation

বাংলায় কথাবার্তা

(i)

Ram : কি হে শ্যাম, আজ ক'দিন তোমায় দেখিনি, ভাল ত ?

Hallo ! Shyam, I have not seen you for these few days. I hope you are well.

Shyam : ধন্যবাদ, আমি ভালই আছি। ক'দিন কলকাতার বাইরে ছিলাম।

Thanks, I am all right. I was out of Calcutta for a few days.

Ram : কেন, কোথায় গিয়াছিলে ?

Why, where had you been ?

Shyam : কাশী গিয়াছিলাম। সেখানে বাবা অসুস্থ ছিলেন।

I had been to Varanasi. There my father was ill.

Ram : এখন তিনি কেমন আছেন ?

How is he now ?

Shyam : এখন তিনি ভাল আছেন, ধন্যবাদ।

He is quite well now, thank you.

(ii)

Student : মহাশয়, আপনি পুরো একমাস পরে ফিরে এসেছেন। বলুন না, কোথায় কোথায় গিয়েছিলেন ?

Sir, you are coming back after full one month. Please tell me, what places you have visited.

Teacher : এস খোকা। সমস্ত দেশই আমি ঘুরে এসেছি।

Come on, my boy. I am returning after having toured the entire country.

Student : স্যার, প্রথমে আপনি কোথায় গিয়েছিলেন ?

Sir, where did you go first ?

Teacher : প্রথমে আমি দিল্লী যাই। দিল্লী ভরেতের রাজধানী।

First I went to Delhi. Delhi is the capital of India.

Student : দিল্লীতে আপনি কি কি দেখলেন ?

What did you see in Delhi ?

Teacher : পুরানো দিল্লীতে লালকেল্লা দেখলাম। লালকেল্লায় অনেক দেখবার মত ঐতিহাসিক জিনিস আছে। নয়া দিল্লীতে সরকারী অফিস দেখলাম, কুতুব মিনারও দেখা গেল।

139

In old Delhi I saw the Red Fort. There are many historical things worth seeing in the Red Fort. I saw the Goverment Secretariate and also visited the Qutab Minar in New Delhi.

Student : তারপর আপনি কোথায় গেলেন ?

Where did you go after that ?

Teacher : তারপর আমি বম্বে গেলাম। বম্বে ভারতের সবচেয়ে বড় বন্দর।

After that I went to Bombay. Bombay is the biggest port of India.

Student : তা হ'লে তো আপনি সমুদ্র ও বড় বড় জাহাজও দেখেছেন।

Then you must have seen the sea and big ships also.

Teacher : হ্যাঁ, তা তো বটেই। অনেক জাহাজ দেখেছি। তারপর আমি হায়দরাবাদ হয়ে মাদ্রাজ গেলাম। হায়দরাবাদের নিকটই প্রসিদ্ধ অজন্তা গুহা।

Yes, I have seen many ships. Then through Hyderabad I arrived at Madras. Very near to Hyderabad the famous Cave of Ajanta is situated.

Student : মাদ্রাজ আপনার কেমন লাগল ?

How did you like Madras ?

140

Teacher : মাদ্রাজ বড় সুন্দর বন্দর ও শহর।

Madras is very beautiful port and city.

Student : মাদ্রাজ থেকে আপনি কোথায় গেলেন ?

For what place did you leave Madras ?

Teacher : মাদ্রাজ থেকে পুরী এলাম, পুরী দেখে কলকাতা।

From Madras I came to Puri. Having visited Puri I came to Calcutta.

Student : স্যার, আপনি কাশী যান নি ?

Sir, did you not go to Kashi ?

Teacher : হ্যাঁ ঠিক, কাশীও গিয়েছিলাম। হিন্দু বিশ্ববিদ্যালয় দেখেছি। একদিনের জন্য প্রয়াগেও নেমেছিলাম।

Oh yes, I went to Kashi also and visited the Hindu University, and dropped at Allahabad too, for a day.

Student : স্যার, আপনি যে সব জায়গায় গিয়েছেন সেগুলো আমাকে ম্যাপের মধ্যে দেখিয়ে দিন না ?

Sir, will you please point out to me on the map, the places you visited ?

Teacher : এস, খোকা, ম্যাপ নিয়ে এস। আমি তোমাকে দেখিয়ে দিচ্ছি।

Come on, my boy, come with the map. I am showing you everything.

Student : এখুনি নিয়ে আসছি, স্যার।

I am just coming with it, Sir.

(iii)

Patient : নমস্কার ডাক্তারবাবু ! আমার কথা একটু শুনবেন ?

Good morning, doctor ! Can you spare me a few minutes ?

Doctor : নিশ্চয়ই ! ভিতরে আসুন, বসুন। বলুন, আপনার কি হয়েছে ?

Certainly ! Come in and sit down. Now, tell me what is the matter with you ?

Patient : এই কথাই তো আপনার কাছে বলতে চাই।

That is just what I want to tell you.

Doctor : বেশ বলুন। আপনার কি অসুবিধা হচ্ছে ?

Well, tell me how you are suffering ?

Patient : আমার মোটেই খিদে হয় না। অথচ আমি সব সময়ে পেটের অসুখে ভুগি।

I have no appetite at all, yet I am always suffering from indigestion.

Doctor : আপনার কি মাথাধরাও আছে ?

Are you troubled with headaches also ?

142

Patient : হ্যাঁ, আছে। এবং সবচেয়ে অসুবিধা হচ্ছে আমি রাত্রে ভাল করে ঘুমোতে পারি না।

Yes, I am. And what is worse, I can't sleep well at night.

Doctor : আচ্ছা. আপনি কি কাজ করেন ?

I see. What is your profession ?

Patient : আমি এক মার্চেন্ট অফিসের কেরাণী। আমাকে অনেকক্ষণ অফিসে বসে কাজ করতে হয়।

I am a clerk in a merchant office and have to work long hours on a seat.

Doctor : আপনি বিকেলে কোন রকম ব্যায়াম করেন কি ?

Do you take any sort of exercise in the evening ?

Patient : না, ডাক্তারবাবু। আমি কোন ব্যায়াম করি না। বাড়ী যখন ফিরি তখন এত ক্লান্ত হয়ে পড়ি যে খেয়ে সোজা শুয়ে পড়ি।

No, doctor ; I don't take any exercise. I feel so tired when I get home that I simply take my food and go to bed.

Doctor : আমার মনে হয় আপনার সব অসুবিধার মূলে হচ্ছে বিশ্রামের অভাব এবং উপযুক্ত দৈহিক শ্রম না করা।

I think all your troubles are due to lack of rest and proper physical labour.

143

Patient : আমারও তাই মনে হয়। অনেকদিন কোন ছুটির সুযোগ ঘটেনি।

I also admit this. I could not have any leave for a long time.

Doctor : আপনি কি আপনার অফিস থেকে কিছু দিনের জন্য ছুটি নিতে পারেন না ?

Are you not able to secure leave from your office for a few days ?

Patient : আমার মনে হয় আপনার সুপারিশপত্র পেলে তা পাওয়া যাবে।

I think, I shall be able to secure it with your recommendation.

Doctor : ভাল কথা, কিছু দিনের জন্য আপনি আপনার বাড়ীতে চলে যান। সেখানে গিয়ে ঘরের দরজা জানালা খুলে রেখে মুক্ত বাতাসে শোবেন। সকাল সন্ধ্যায় কিছু সময় করে হাঁটবেন। সময় মতো খাবেন। হজম শক্তি ও খিদে যত বাড়বে খাওয়াও সেইমত ধীরে ধীরে বাড়িয়ে যাবেন। আমার মনে হয় এভাবে চললে আপনি শিগ্গিরই সুস্থ হয়ে উঠবেন।

Very good, you go to your country-home for a few days. There you arrange to sleep in the open air, keeping the doors and windows open. Take walks in the morning and evening for a few minutes.

144

Take your food in regular time, increase diets gradually according to your digestive power and appetite. I think you will be all right very soon if you follow these instructions.

Patient : ধন্যবাদ ডাক্তারবাবু, আমি আপনার উপদেশ মত চলবো। নমস্কার।

Thank you doctor. I will follow your instructions. Good morning.

Doctor : নমস্কার! কেমম থাকেন জান'বেন।

Good morning! And please let me know how you get on.

LESSON 20

Idioms & Proverbs

(বাক্‌ধারা ও কিংবদন্তী)

Idioms

অকূল পাথারে পড়া—to be at sea.

অক্ষম ক্রোধ—impotent anger.

অচল—null & void.

অচিরেই—in no time.

অতি দর্পে হতা লঙ্কা—pride goeth before destruction.

অতি লোভে তাঁতী নষ্ট—all covet all lost.

অভ্রান্ত বিচার—infallible judgement.

অপুরণীয় ক্ষতি—irreparable loss.

অবিনশ্বর যশ—immortal fame.

অরণ্যে রোদন—to cry in the wilderness.

অসুস্থ—out of sorts.

আপাদে বিপদে – through thick and thin.

আপাদমস্তক—from head to foot.

আসন্ন বিপদ—imminent danger.

উদোর পিণ্ডি বুদোর ঘাড়ে—one doth the scathe and hath the scorn.

একাই একশ—a host in oneself.

এলোমেলো—at sixes and sevens.

কারও সর্বনাশ কারও পৌষ মাস—some have hap, some stick in the gap.

কাষ্ঠহাসি—icy smile.

কিল খাইয়া কিল চুরি—to pocket an insult.

কুসুমাস্তীর্ণ শয্যা—bed of roses.

কণ্টকময় শয্যা—bed of thorns.

ক্রমে ক্রমে—by and by.

খিচুড়ি পাকান—to make a mess of everything.

গতস্য শোচনা নাস্তি—let bygones be bygones.

চাচা আপন বাঁচা—self preservation is the law of nature.

চুনোপুটি—small fry.

ছাই ফেলতে ভাঙ্গা কুলো—a scapegoat of the family.

ঘোড়ার ডিম—a mare's nest.

জরুরী সমস্যা—burning question.

জলে কুমীর ডাঙায় বাঘ—between the devil and the deep sea.

তুলনাযোগ্য হওয়া—to hold candle.

দোষ ছাড়া লোক নাই—no rose without thorn.

147

নাকে দড়ি দিয়া চালান—to lead by the nose.

নাড়ী নক্ষত্র—ins and outs.

পরম ভণ্ড—a wolf in a sheep's skin.

পুরাদমে- in full swing.

প্রভূত সম্পদ—immense wealth.

বাঁধাধরা—hard and fast.

বাগে পাওয়া—to catch on the hip.

বিনা মেঘে বজ্রাঘাত—a bolt from the blue.

বিপদে পড়া—to burn one's finger.

ব্যর্থ প্রয়াস—wild goose chase.

মায়াকান্না—crocodile tears.

যতক্ষণ শ্বাস ততক্ষণ আশ—While there is life, there is hope.

যাযাবর জীবন - nomadic life.

লোমহর্ষক বাগ্মিতা—thrilling eloquence.

সবুরে মেওয়া ফলে—patience is bitter, but its fruits are sweet.

সর্বেসর্বা—all in all.

সস্তার তিন অবস্থা   cheap goods are dear in the long run.

সাক্ষী গোপাল—a mere puppet.

সাপে নেউলে—at daggers drawn.

সুনজরে-- in the good book of.

148

Proverbs

অতি চালাকের গলায় দড়ি—Too much cunning over-
reaches itself.

অতি দর্পে হতা লঙ্কা—Pride goeth before fall.

অতি ভক্তি চোরের লক্ষণ—Too much courtesy, too
much craft.

অতি লোভে তাঁতি নষ্ট—Grasp all lose all.

অনেক সন্ন্যাসীতে গাজন নষ্ট—Too many crooks spoil
the broth.

অর্থই অনর্থের মূল—Money is the root of all evils.

অল্প বিদ্যা ভয়ঙ্করী Little learning is a dangerous
thing.

অসমরের বন্ধুই প্রকৃত বন্ধু—A friend in need is a
friend indeed.

অসায়ের তর্জন গর্জন সার (গণ্ডূষ জলমাত্রেণ সফরী ফরফরায়তে)
—Empty vessels sound much.

আতুরে নিয়মো নাস্তি—Necessity knows no law.

আপনি বাঁচলে বাপের নাম – Self-preservation is the
first law of nature.

নিজের চরকায় তেল দাও—Oil your own machine.

নিজে ভাল তো জগৎ ভাল—To the pure all things
are pure.

আয় বুঝিয়া ব্যয় কর—Cut your coat according to
your cloth.

ইচ্ছা থাকিলেই উপায় হয়—Where there is a will
there is a way.

উঠন্ত মুলো পত্তনেই চেনা যায়—Morning shows the day.

উদ্যোগিনং পুরুষসিংহমুপৈতি লক্ষ্মীঃ—Fortune favours
the brave.

উলুবনে মুক্তা ছড়ানো—To caste pearls before
the swine.

এক মাঘে শীত যায় না—One swallow does not make
a summer.

এক ঢিলে দুই পাখী মারা (রথ দেখা কলা বেচা)—To kill
two birds with one stone.

এক মুখে দুই কথা—To blow hot and cold in the
same breath.

এক হাতে তালি বাজে না—It takes two to make a
quarrel.

কষ্ট না করলে কেষ্ট পায় না—No pains, no gains.

গাছে কাঁঠাল গোঁফে তেল—To count one's chickens
before they are hatched.

গেঁও যোগী ভীখ্ পায় না—A prophet is not honoured
in his own country.

ঘরপোড়া গরু সিঁদুরে মেঘ দেখলে ভয় পায়—A burnt
child dreads the fire.

চোর পালালে বুদ্ধি বাড়ে—After death comes the
doctor.

চোরা না শুনে ধর্মের কাহিনী—The devil will not
listen to the scripture.

চোরে চোরে মাসতুত ভাই—Birds of the same feather
flock together.

জোর যার মুল্লুক তার—Might is right.

ঝোপ বুঝে কোপ মার—Strike the iron while it is red.

টাকায় টাকা আনে—Money begets money.

ঢিলটি মারলে পাটকেলটি খেতে হয়—Tit for tat.

তিলকে তাল করা—To make mountains out of
molehills.

তেলা মাথায় তেল ঢালা—To carry coal to Newcastle.

দশের লাঠি একের বোঝা—Many a little makes a
mickle.

দুধ দিয়ে কাল সাপ পোষা—To nourish a viper in
one's bosom.

দুষ্ট গরু অপেক্ষা শূন্য গোয়াল ভাল—Better an empty
house than a bad tenant.

নাই মামার চেয়ে কানা মামা ভাল—Half a loaf is better
than no bread (Something is better than nothing).

না আঁচালে বিশ্বাস নেই (শ্রেয়াংসি বহু বিঘ্নানি)—There's
many a slip between the cup and the lip.

নাচতে না জানলে উঠান বাঁকা—An ill workman
quarrels with his tools.

151

নানা মুনির নানা মত = Many men many minds.

পাপের ধন প্রায়শ্চিত্তে যায় = Ill got, ill spent.

ফলেন পরিচীয়তে = A tree is known by its fruits.

বজ্র আঁটুনি ফস্কা গেরো = Penny wise, pound foolish.

বলা সহজ করা কঠিন = Easier said than done.

বহ্বারম্ভে লঘুক্রিয়া (যত গজে তত বর্ষে না) = Much cry,
little wool.

বাপ্‌কা বেটা = Like father like son.

বিষকুম্ভং পয়োমুখম্ = A honeyed tongue, a heart
of gall.

ভাই ভাই ঠাঁই ঠাঁই = Brothers will part.

ভাগের মা গঙ্গা পায় না = Everybody's business is
nobody's business.

মশা মারতে কামান দাগা = To break a butterfly upon
a wheel.

মরার উপর খাড়ার ঘা = To add insult to injury.

মধুরেণ সমাপয়েৎ (শেষ বেশ) = All's well that ends
well.

মুনীনাঞ্চ মতিভ্রমঃ = To err is human.

মেও ধরে কে = Who is to bell the cat ?

মোগল পাঠান হদ্দ হলো ফারসী পড়ে তাঁতী = Fools rush
in where angels fear to tread.

মৌনং সম্মতি লক্ষণম্ = Silence gives consent.

যস্মিন্ দেশে যদাচারঃ = While at Rome do as the
Romans.

যার জ্বালা সেই জানে = The wearer knows best
where the shoe pinches.

যারে দেখতে নারি তার চলন বাঁকা = Faults are thick
where love is thin.

যেমন কর্ম তেমন ফল = As you sow, so you reap.

শঠে শাঠ্যং সমাচরেৎ = With foxes you must play
the fox.

সবুরে মেওয়া ফলে = Patience is bitter but its fruit
is sweet.

সময়ের এক ফোঁড় অসময়ের দশ ফোঁড় = A stich in time
saves nine.

সে রামও নাই, সে অযোধ্যাও নাই = Woe the times !
Woe the manners.

সেয়ানে সেয়ানে = Diamond cuts diamond.

LESSON 21

Some Specimens of Translation

(1)

ভারত আমাদের মাতৃভূমি ।   আমরা ভারতে বাস করি ; তাই
অন্য জাতিগণ আমাদিগকে ভারতবাসী বলে ।   আজ ভারত স্বাধীন ।
দেশের স্বাধীনতার জন্য আমরা দীর্ঘকাল বৃটিশ শক্তির সহিত যুদ্ধ
করিয়াছি ।   এই যুদ্ধে বহু রক্তপাত হইয়াছে এবং বহু জীবন
উৎসর্গীকৃত হইয়াছে ।   মহাত্মাজীর কথা কি আমরা কখনও ভুলিতে
পারি ?   চিত্তরঞ্জনকে আমরা সতত স্মরণ করি ।   সুভাষচন্দ্র আজ
কোথায় ?   আমরা জানি না ।   কিন্তু আমাদের স্মৃতিতে চিরদিন
জীবিত থাকিবেন ।

India is our motherland. We live in India ; so other
nations call us Indians. To-day India is free. We have
fought long with the British power for the freedom of our
country. In this fight much blood has been shed and many
lives have been sacrificed. Can we ever forget Mahatmaji ?
We always remember Chittaranjan. Where is Subhash
Chandra to-day ? We don't know. But he will live in our
memory for ever.

154

(2)

সম্রাট কুটিরের দ্বারে আঘাত করিলেন। একজন কৃষক দ্বার খুলিয়া তাঁহাকে জিজ্ঞাসা করিল, "আপনি কি চান?" সম্রাট বলিলেন, "আমি ক্লান্তি এবং ক্ষুধায় মৃতপ্রায়। তুমি কি আমাকে কিছু আহার্য দিতে পার?"

কৃষক—"আহা! আপনি বড় অসময়ে আসিয়াছেন। আমার স্ত্রী খুব অসুস্থ। যাহা হউক, আপনি দয়া করিয়া ভিতরে আসুন। আজ বড় ঠাণ্ডা। আসুন, আমরা আপনাকে কিছু রুটি এবং একটি সিদ্ধ ডিম দিতে পারি।"

The Emperor knocked at the door of the cottage. A peasant opened the door and asked him, "What do you want?" The Emperor said, "I am dying of fatigue and hunger. Can you give me some food?

The peasant—"Alas! You have come at a very unlucky time. My wife is very ill. But please come in. It is very cold to-day. Come in, we shall be able to give you some bread and a boiled egg."

(3)

সেই দেশে এক ভয়ঙ্কর সিংহ ছিল। লোকে উহাকে বড় ভয় করিত। হারকিউলিস্ সেখানে গেলে সকলে তাহাকে সিংহটি মারিতে অনুরোধ করিল। হারকিউলিস্ একটি গদা, একটি ধনুক এবং কয়েকটি তীর লইয়া পশুটির অনুসন্ধানে বাহির হইলেন। হঠাৎ

তিনি পশ্চাতে সিংহের গর্জন শুনিতে পাইলেন। একটি বড় সিংহ তাঁহার উপর লাফাইয়া পড়িতে উদ্যত হইল। তিনি তৎক্ষণাৎ গদা দিয়া পশুটিকে আক্রমণ করিলেন। দশ মিনিট যুদ্ধের পর সিংহ ছুটিয়া পলাইল। জন্তুটি পলায়ন করিবার পর হারকিউলিস্ কিছুকাল সেখানে অপেক্ষা করিলেন। তারপর তিনি একখানা তলোয়ার লইয়া সিংহর বিবরে প্রবেশ করিলেন।

There was a terrible lion in that country. The people were very afraid of it. When Hercules went there, all prayed to him to kill the lion. Taking a club, a bow and a few arrows, Hercules went out in search of the beast. Suddenly he heard the roar of a lion behind him. A big lion was about to jump upon him. At once he attacked the beast with his club. After ten minutes' fight the lion ran away. After the animal had fled, Hercules waited there for some time. Then he took a sword and entered the lion's den.

(4)

"বাবু, তোমার যেমন একটি লড়্‌কি আছে, তেমনি দেশে আমারও একটি লড়্‌কি আছে। আমি তাহারই মুখখানি স্মরণ করিয়া তোমার খোঁখীর জন্য কিছু কিছু মেওয়া হাতে লইয়া আসি, আমি তো সওদা করিতে আসি না।"

এই বলিয়া সে আপনার মস্ত চিলা জামাটার ভিতর হাত চালাইয়া দিয়া বুকের কাছে কোথা হইতে এক টুকরা ময়লা কাগজ বাহির করিল। বহু যত্নে ভাঁজ খুলিয়া দুই হস্তে আমার টেবিলের উপর মেলিয়া ধরিল।

দেখিলাম, কাগজের উপর এফটি ছোট হাতের ছাপ। ফটোগ্রোফ
নহে, তেলের ছবি নহে, হাতে খানিকটা ভূষা মাখাইয়া কাগজের উপর
তাহারই চিহ্ন ধরিয়া লইয়াছে। মেয়ের এই স্মরণ চিহ্নটুকু বুকের
কাছে লইয়া রহমৎ প্রতি বৎসর কলিকাতার রাস্তায় মেওয়া বেচিতে
আসে।

— কাবুলিওয়ালা (রবীন্দ্রনাথ)

"Babu, you have a little girl; I too have one like her in
my home. I think of her, and bring some fruits for your
child—they are not for sale."

Saying this, he put his hand inside his big loose robe and
brought out a small and dirty piece of paper from near his
breast. Unfolding it with great care, he placed it with both
hands on my table.

It bore the impression of a little hand. Not a photo-
graph, not a drawing, merely the impression of an ink-
besmeared hand laid flat on the paper. Keeping this memento
of its own little daughter next to his heart, Rahamat had
come year after year to Calcutta to sell his fruits in the streets.

—Kabuliwala (Rabindranath)

(5)

আমাদের পোষ্টমাষ্টার কলিকাতার ছেলে। জলের মাছকে ডাঙ্গায়
তুলিলে যেরকম অবস্থা হয় এই গণ্ড গ্রামের মধ্যে আসিয়া পোষ্ট-
মাষ্টারেরও সেই দশা উপস্থিত হইয়াছে। একখানি অন্ধকার আট-
চালার মধ্যে তাঁহার অফিস। অদূরে একটি পানাপুকুর এবং তাহার

চার পাড়ে জঙ্গল । কুঠির গোমস্তা প্রভৃতি যে সকল কর্মচারী আছে তাহাদের ফুরসত প্রায় নাই এবং তাহারা ভদ্রলোকের সহিত মিশিবার উপযুক্ত নহে । বিশেষতঃ কলিকাতার ছেলে বিশেষ করিয়া মিলিতে জানে না । অপরিচিত স্থানে গেলে হয়তো উদ্ধত নয় অপ্রতিভ হইয়া থাকে । এই কারণে স্থানীয় লোকের সহিত তাহার মেলামেশা হইয়া উঠে না । অথচ হাতে কাজ অধিক নাই ।

—গল্পগুচ্ছ (রবীন্দ্রনাথ)

Our Postmaster was a Calcutta man. He felt like a fish out of water in his remote village. His office was in a dark thatched shed, not far from a green slimy pond, surrounded on all sides by a dense growth. The man employed in the indigo factory had hardly any leisure ; moreover they were not fit companions for decent folk. Particularly a Calcutta boy is not an adept in the art of associating with others. Among strangers he appears either proud or ill at ease. So the Postmaster had but little company nor had he much work to do.

—Translated by : C.F. Andrews (Stories from Tagore)

(6)

এই দীঘিতে লোকে একা আসিতে ভয় করিত । দস্যুতার ভয়ে এখানে দলবদ্ধ না হইয়া লোকে একা আসিত না । সেইজন্য লোকে 'ডাকাতে কালদীঘি' বলিত । দোকানদারকে লোকে দস্যুদিগের সহায় বলিত । আমার সে সকল ভয় ছিল না । আমার সঙ্গে অনেক লোক—ষোলজন বাহক, চারিজন দ্বারবান এবং অন্যান্য

লোক ছিল। যখন আমরা এইখানে পৌঁছিলাম তখন বেলা আড়াই প্রহর। বাহকেরা বলিল, আমরা কিছু জলটল না খাইলে আর যাইতে পারি না। দ্বারবানেরা বারণ করিল—বলিল, 'এস্থান ভাল নয়।' বাহকেরা উত্তর করিল, 'আমরা এত লোক আছি, আমাদের ভয় কি? আমাদের সঙ্গের লোকজন কিছুই খায় নাই।' শেষে সকলই বাহকদিগের মতে মত দিল।

—ইন্দিরা (বঙ্কিমচন্দ্র)

People feared to pass by the lake alone. For fear of robbers travellers made up strong parties if they had to go this way. In fact, the lake was known as 'Dakate Kalo Dighi' or 'the Black Lake of Dacoits.' The solitary shopkeeper was suspected of being in league with robbers. As for me, I entertained no such fear. There were many attendants with me—sixteen bearers, four armed retainers and others as well. When we reached the place, it was past mid-day. The bearers declared that they could not proceed further without stopping to eat and drink. My armed guards objected that the place had a bad name but the bearer argued that with so numerous a party, there was no fear. All were fasting and weary, and finally a halt was resolved upon.

—Translated by J.D. Anderson

(7)

সরল জীবনযাত্রা এবং মহৎ চিন্তা ছিল আ'চার্য প্রফুল্লচন্দ্রের জীবনের মূল মন্ত্র। বিলাসিতাকে তিনি মহাপাপ বলিয়া মনে করিতেন। তাঁহার স্বদেশ সেবা, বক্তৃতা অথবা রাজনৈতিক আন্দোলনের মধ্যে

সীমাবদ্ধ ছিল না। তিনি আন্তরিক শ্রদ্ধার সহিত স্বদেশ ও স্বদেশী দ্রব্য গ্রহণ করিয়া সকলের মনে স্বদেশানুরাগ সঞ্চার করিতেন। দেশের প্রতিটি সৎকার্যের সহিত আচার্যদেব নিজেকে সংযুক্ত করিয়াছিলেন। অথচ এই বিরাট মহাপুরুষটির মনটি ছিল শিশুর মত সরল, ব্যবহারটি ছিল অত্যন্ত সাদাসিধা। কত দরিদ্রকে তিনি গোপনে দান করিতেন তাহার ইয়ত্তা নাই। বস্তুতঃ জ্ঞানে, কর্মে, চরিত্রে এবং মানুষ্যত্বে এমন সম্পূর্ণ আদর্শ মানুষ এ দেশে কেন, সব দেশেই দুর্লভ।

Plain living and high thinking was the guiding principle of Acharya Prafullachandra's life. He considered luxury a great sin. His service to his country was not limited to his lectures or political movements. He adored with hearty reverence his country and his country goods, and inspired everyone's heart with a feeling of patriotism. Acharyadev took part in every noble enterprise of his country, yet the heart of this highly great man was as simple as that of a child and his manners very simple. There was no limit to the number of many poor men he helped in secret. In fact, such an ideal person in wisdom, deed, character and manliness is rare not only in this country but also in other countries.

(৪)

ভবানীঠাকুর 'হো হো' করিয়া হাসিয়া উঠিল। প্রফুল্ল অপ্রতিভ হইল দেখিয়া বলিল, "মা, বোকা। মেয়ের মত কথাটা বলিলে, তাই হাসিলাম। তোমার তো কেহ নাই বলিয়াছ, তুমি কাকে নিয়া এই ঐশ্বর্য ভোগ করিবে? একা কি ঐশ্বর্য ভোগ হয়?" প্রফুল্ল অধোবদন

হইল। ভবানী বলিতে লাগিল,—"শোন, লোকে ঐশ্বর্য লইয়া কেহ ভোগ করে, কেহ পুণ্য সঞ্চয় করে, কেহ নরকের পথ সাফ করে। তোমার ভোগ করিবার যো নাই, কেননা তোমার কেহ নাই। তুমি পুণ্য সঞ্চর করিতে পার, না হয় নরকের পথ সাফ করিতে পার। কোনটা করিবে ?"

—দেবী চৌধুরাণী (বঙ্কিমচন্দ্র)

Bhabani Thakur burst out laughing. Then finding Prafulla ashamed, he said, 'My daughter, your talk is like that of a silly girl. It made me laugh. You have already said that you have none in this wide world. With whom will you then share this wealth ? Can any one enjoy wealth all by oneself ? Prafulla hung down her head. Bhabani continued, "Listen to me, Some men enjoy wealth ; some earn virtue by means of wealth ; while others have the way to hell with it. To your own you have none on earth. So you cannot really enjoy wealth. With it you may either cultivate piety or go down the way to hell. Which do you prefer ?"

—Devi Chaudhurani (Bankim Chandra)

(9)

ভারতে যাঁহারা রাজ্যগঠন করিয়াছিলেন—সেই আকবর, শিবাজী, হায়দর আলি, রণজিৎ সিং কেহই পুঁথিগত বিদ্যার ধার ধারিতেন না। প্রায় সকলেই নিরক্ষর ছিলেন। কিন্তু তাঁহাদের কীর্তিকথা ইতিহাসের পৃষ্ঠায় সুবর্ণ অক্ষরে লিখিত আছে। আমাদের দেশের অনেক মহিলার কথা বিশ্ববিশ্রুত। কিন্তু তাঁহায়া পুঁথিগত বিদ্যায় বিদুষী

ছিলেম না। বই না পড়িয়াও যে আত্মোন্নতি সম্ভব—তাহা অহল্যাবাঈ রাণী ভবানী, ভূপালের বেগম প্রভৃতির জীবন-কথা হইতে জানা যায়।

—আচার্য প্রফুল্লচন্দ্র রায়

Akbar, Shivaji, Hyder Ali and Ranjit Singh each of whom had build up an empire in India had no pretension whatsoever to book-knowledge. Almost all of them were illiterate. But their achievements have been recorded in the pages of history in letters of gold. Many ladies in our country have become famous all over the world for their talents. But they have no book-learning. From the lives of Ahalya Bai, Rani Bhawani, the Begum of Bhopal and other gifted ladies we can know that we too can lift ourselves up even though we may not know how to read.

—Acharya Prafulla Chandra Roy

(10)

জগতের ইতিহসে স্মরণীয় হইয়া থাকিবে ১৫ই আগষ্ট। অধীনতার লৌহ নিগড় ছিন্ন করিয়া আজ মুক্তির নিঃশ্বাস ফেলিতেছে বিভিন্ন সভ্যতার লীলাভূমি ভারত মহাদেশের ৪০ কোটি নরনারী। পলাশীর আম্রকাননে ১৭৫৭ মনে স্বাধীনতার যে সূর্য অস্তমিত হইয়াছিল, ১৯৪৭ মনে লক্ষ বীর শহীদগণের রক্তে রঞ্জিত হইয়া আবার তা দেখা দিয়াছে পূর্বাচলে।

The 15th of August will ever be remembered in the hlstory of the world. The forty crores of people of the great country of India, the seat (or, playground) of different civilisations, are breathing the air of freedom, having broken the iron chains of bondage. The sun of freedom that went down in the mango grove of *Plassey* in 1757, is now up again in the eastern sky, in 1947, dyed red with the blood of millions of martyrs.

(11)

গান্ধীজী বলেছেন—আমার জীবনই আমার বাণী। সত্যই তিনি যা বলেছেন জীবনের প্রতিক্ষেত্রে কাজে তাই করেছেন। সত্য দ্বারা মিথ্যাকে জয়, ভালবাসা দ্বারা ঘৃণাকে জয়, অহিংসা দ্বারা হিংসাকে জয় করাই ছিল তাঁর জীবনের সাধনা এবং এই ছিল তাঁর বাণী।

তিনি চেয়েছিলেন, ভারতে ধর্মরাজ্য প্রতিষ্ঠা করতে। তিনি বলেছিলেন ভারতকে এমনভাবে গড়ে তুলতে হবে যেখানে দরিদ্রতম প্রজাও মনে করবে ভারত তার স্বদেশ। ভারতে থাকবে না উঁচু-নীচু ভেদ, অস্পৃশ্যতার ও মাদকতার বিষ, নারী ও পুরুষের থাকবে সমান অধিকার, ভূমি ও রাষ্ট্র হবে জনসাধারণ সম্পত্তি, এবং সর্বত্র হবে ন্যায়ের প্রতিষ্ঠা।

Gandhi said, "My life is my message". In fact he lived exactly as he said in every sphere of life. To conquer untruth with truth, hatered with love, violence with non-violence— this was his mission of life, this was his message.

He wanted to establish in India a kingdom of righteousness. He said that India should be so built up that even the poorest subject here might feel her to be his own country,

163

that there should be no distinction between the high and the low, the country should be free from the poison of untouchability and drunkenness, man and woman should have equal rights, land and state should be public properties, and justice should be established everywhere.

(12)

হেথা	যে গান গাইতে আসা আমার
	হয় নি সে গান গাওয়া —
আজও	কেবলি সুর সাধা, আমার
	কেবল গাইতে চাওয়া। ।
আমার	লাগে নাই সে সুর, আমার
	বাঁধে নাই সে কথা,
শুধু	প্রাণেরই মাঝখানে আছে
	গানের ব্যাকুলতা ।
আজও	ফোটে নাই সে ফুল, শুধু
	বহেছে এক হাওয়া ।
আমি	দেখি নাই তার মুখ, আমি
	শুনি নাই তার বাণী,
কেবল	শুনি ক্ষণে ক্ষণে তাহার
	পায়ের ধ্বনিখানি ।
আমার	দ্বারের সমুখ দিয়ে সে জন
	করে আসা-যাওয়া ।

শুধু   আসন পাতা হল আমার
                সারাটি দিন ধরে—
ঘরে   হয় নি প্রদীপ জ্বালা, তারে
                ডাকব কেমন ক'রে ।
আছি   পাবার আশা নিয়ে, তারে
                হয় নি আমার পাওয়া ।

—গীতাঞ্জলি (রবীন্দ্রনাথ ঠাকুর)

The song that I came to sing remains
unsung to this day.

    I have spent my days in stringing
and in unstringing my instrument.

    The time has not come true, the
words have not been rightly set ; only
there is the agony of wishing in my heart.

    The bloosom has not opened ; only
the wind is sighing by.

    I have not seen his face, nor have I
listened to his voice ; only I have heard
his gentle footsteps from the road before
my house.

    The livelong day has passed in spreading
his seat on the floor ; but the lamp
has not been lit and I cannot ask him
into my house.

    I live in the hope of meeting with
him ; but this meeting is not yet.

—*Gitanjali (Rabindranath Tagore)*
Translated by the Poet himself

165

(13)

আর আমায় আমি নিজের শিরে
বইব না।

আর নিজের দ্বারে কাঙাল হয়ে
রইব না।

এই বোঝা তোমার পায়ে ফেলে
বেরিয়ে পড়ব অবহেলে—
কোন খবর রাখব না ওর,
কোনো কথাই কইব না।
আমায় আমি নিজের শিরে
বইব না।

বাসনা মোর যারেই পরশ
করে সে
আলোটি তার নিবিয়ে ফেলে
নিমেষে।

ওরে সেই অশুচি দুই হাতে তার
যা এনেছে চাই নে সে আর,
তোমার প্রেমে বাজবে না যা
সে আর আমি সইব না।
আমায় আমি নিজের শিরে
বইব না।

—গীতাঞ্জলি (রবীন্দ্রনাথ ঠাকুর)

O Fool, to try to carry thyself upon
thy own shoulders ! O beggar, to come
to beg at thy own door !

Leave all thy burdens on his hands
who can bear all, and never look behind
in regret.

Thy desire at once puts out the light
from the lamp it touches with its breath.
It is unholy—take not thy gifts through
its unclean hands. Accept only what
is offered by sacred love.

—*Gitanjali (Rabindranath Tagore)*
Translated by the poet himself.

LESSON 22

Passages for Translation

Translate into English :—

(1)

বহুকাল পূর্বে (long ago) অযোধ্যায় এক রাজা ছিলেন। তাঁহার নাম দশরথ। দশরথের চারিটি পুত্র ছিল। তাঁহাদের মধ্যে রাম ছিলেন সকলের জ্যেষ্ঠ (the eldest)। রাম সীতাকে বিবাহ করিয়াছিলেন। লঙ্কায় রাবণ নামে এক রাজা ছিল। রাবণ পঞ্চবটী বন হইতে সীতাকে চুরি করিয়াছিল। সেখানে তিনি রাবণের সহিত যুদ্ধ করিয়া তাহাকে বধ করেন। তারপর তিনি সীতাকে লইয়া অযোধ্যায় ফিরিয়া আসিলেন। অযোধ্যার লোকেরা রাম সীতাকে দেখিয়া খুব খুশী হইল।

(2)

একটি কুকুর, একখণ্ড মাংস মুখে লইয়া নদী পার হইতেছিল। নদীর জলে তাহার যে ছায়া (shadow) পড়িয়াছিল সেই ছায়াকে সে অন্য একটি কুকুর মনে করিল। ঐ কুকুরের মুখেও সে একখণ্ড মাংস (a piece of meat) দেখিতে পাইল। ইহাতে তাহার মনে

168

লোভ হইল। ঐ মাংসখণ্ডের লোভে সে উহাকে ধরিবার জন্য লাফ দিয়া নদীতে পড়িল (jumped into the river)। সঙ্গে সঙ্গে তাহার নিজের মুখের মাংসখণ্ডও জলের মধ্যে পড়িয়া ভাসিয়া গেল। জলে পড়িয়া কুকুরটি আর কোন কুকুর দেখিতে পাইল না।

(3)

স্বাস্থ্য (health) মানুষের শ্রেষ্ঠ সম্পদ (wealth)। স্বাস্থ্য ব্যতীত কোনই সুখ সম্ভব নয়। তুমি প্রচুর অর্থ উপার্জন (earn) করিতে পার, কিন্তু স্বাস্থ্য না থাকিলে তাহা ভোগ (enjoy) করিতে পারিবে না। যাহার স্বাস্থ্য নাই, সংসারে কোন বস্তুই (nothing in the world) তাহাকে আনন্দ দান করিতে পারে না। বারো মাস (throughout the year) কোন না কোন একটা রোগ (some disease or other) তাহার লাগিয়াই থাকে। সে যেমন নিজে অসুখী. তেমনি তাহার জন্য তাহার পরিবারের অন্য সকলেও অশান্তি ভোগ করে। সুতরাং বাল্যকাল হইতে তোমরা স্বাস্থ্যরক্ষায় বিশেষ যত্নবান হইবে। স্বাস্থ্যরক্ষা (preservation of health) সম্বন্ধে যে কয়টি সাধারণ নিয়ম আছে তোমরা অবশ্যই তাহা পালন (observe) করিয়া চলিবে। নিয়মগুলি তোমরা জান, তবুও সেগুলি সম্বন্ধে আমি তোমাদিগকে কিছু উপদেশ দিব।

(4)

জল আমাদের প্রধান পানীয় (principal drink)। আমরা জল ব্যতীত (without) বাঁচিতে পারি না। জল ছাড়া গাছপালা

(trees and plants) জন্মিতে পারে না। আমরা জল দিয়া খাদ্যদ্রব্য রন্ধন করি। কাপড়চোপড় (clothes) ধুইতে জল ব্যবহার করিয়া থাকি। জলের সাহায্যে আমরা আমাদের বাসনপত্র (utensils) পরিষ্কার করিয়া থাকি। আগুন নিবাইতে জলের আবশ্যক (necessary) হয়। পুকুর, নদী, হ্রদ ও সমুদ্রে জল পাওয়া যায়। এই জল কোথা হইতে আসে ?

(5)

সুভাষচন্দ্র আমাদের দেশের একজন বড় নেতা ছিলেন। তিনি কম (little) কথা বলিতেন। কিন্তু কাজ করিতেন প্রচুর (a lot)। সকলে তাঁহাকে খুব ভালবাসিত এবং শ্রদ্ধা করিত। ইংরেজরা তাঁহাকে ভয় করিত। তিনি দুইবার কংগ্রেসের সভাপতি হইয়াছিলেন। ইংরেজগণ তাঁহাকে বহু বার জেলে (to jail) পাঠাইয়াছিল। দ্বিতীয় বিশ্বযুদ্ধের সময় (during the World War II) উহারা সুভাষচন্দ্রকে তাঁহার নিজ (own) বাড়ীতে বন্দী করিয়া (intern) রাখিয়াছিল। একদিন রাত্রে সুভাষচন্দ্র বাড়ী হইতে পলাইয়া গেলেন। তিনি প্রথমে (first) আফগানিস্থানে গেলেন, তারপর জার্মানিতে পৌছিলেন।

Translate into Bengali :—

(1)

India is the land of our birth (আমাদের জন্মভূমি). So it is very dear to us all. It is a large country. There are many

170

villages in it. There are also many cities and towns But there are more villages than cities and towns. And we mostly live in the villages. So our villages are not less important (প্রায়োজনীয়) than our cities and towns.

(2)

Long, long ago (অনেক অনেক দিন পূর্বে) there lived in Greece a great musician (গায়ক) named Orpheus. He could sing beautiful songs and make sweet music with his harp. He sang so sweetly that man and animals flocked together (একত্রিত হইত) to listen to him.

(3)

Men and beasts have limbs. A man has two arms and two hands, two legs and two feet. A lamb has four legs. A dog has four paws. The horse has cloven hoofs. Birds have no teeth. Men and beasts have teeth. That old man had five sons. I have three brothers and two sisters.

(4)

When Akbar ascended (আরোহণ করিল) the throne, he was only 13 years old. At this young age he had to face many difficulties. On all sides he was surrounded by enemies. But he defeated them one after the other. Delhi and Agra fell into his hands. He was not, however, satisfied with this. He made friends with several Rajput chiefs and with their help drove the Afgans out of India. Thus in a very short time he established (প্রতিষ্ঠা করিলেন) a strong empire.

Almost all creatures can swim. Elephants, horses, cows, buffaloes, dogs and other animals have not to be taught to swim. But a man cannot swim without being taught to do so. Everybody should learn to swim. Swiming is a very good exercise. It yields us much pleasure. It is very pleasant to swim in cold water in summer.

LESSON 23

Specimens of Bengali Prose & Poetry

Prose

প্রভাত

জাগো জাগো, রাত্রি প্রভাত হইল।

আলোক আসিয়া সকল ভুবন ব্যাপ্ত করিয়াছে। এতক্ষণ পৃথিবী ছিল অন্ধকারে ঢাকা, নিদ্রিত, নীরব। বনভূমি আর পল্লীভবন কিছুই যেন চেনা যাইতেছিল না; কোথাও কোন প্রাণীর সাড়া-শব্দ ছিল না। কেবল দূর আকাশে সহস্র তারকা মিটি মিটি জ্বলিয়া পৃথিবীর দিকে চলিয়াছিল।

সহসা অন্ধকার কাটিয়া পূর্বদিকে অরুণ উদিত হইল। পর্বতের শিখরে, বৃক্ষের অগ্রভাগে, মন্দির ও মসজিদের চূড়ায় ক্রমে ক্রমে সবুজ ঘাসের মাথায় সোনার কিরণ জ্বলিয়া উঠিল। দেখিতে দেখিতে ঝলমল করিয়া আকাশে সূর্য শোভা পাইতে লাগিল। কি উজ্জ্বল তাহার দীপ্তি!

কাননে কাননে কুসুম-কলি দল খুলিয়া ফুটিতে লাগিল। সরোবরে পদ্মগুলি বাতাস-ভরে দুলিতে লাগিল। গুন গুন গুঞ্জন করিয়া

173

ভ্রমরেরা পুষ্প হইতে পুষ্পান্তরে মধু লুটিতে লাগিল ! ফুলগন্ধ অঙ্গে মাখিয়া স্নিগ্ধ বাতাস মন্দ মন্দ বহিতে লাগিল। কোকিল, বুলবুল আনন্দে কলরব করিয়া উঠিল, তারপর নীড় ছাড়িয়া নীলাকাশে ভাসিয়া চলিল। পাখী গান গায়, আকাশে বেড়ায়. আর আহারের সন্ধান করে।

মানুষ কি এই সময়ে নিদ্রিত থাকিতে পারে ? গত দিবসের শ্রম-ক্লান্তি ঘুচিয়া গিয়াছে, নবীন প্রভাতে সে নূতন মূর্তি লইয়া জাগিয়া উঠিয়াছে। তাহার কণ্ঠে বন্দনা উঠিয়াছে—

'জয় জগদীশ ! জয় জগদীশ !''

তারপর মানুষ কর্মক্ষেত্রে অগ্রসর হইতেছে ঐ রাখালের দল ধেনুপাল লইয়া মাঠে চলিল। শিশুরা পুঁথি বগলে পাঠশালায় ছুটিল। নারী গৃহকার্যে রত হইল। পুরুষ আপন আপন কার্যে ঝাঁপাইয়া পড়িল — গ্রামের বাহিরে কৃষক লাঙ্গল দ্বারা জমি চষিতে লাগিয়া গেল, কামার-বাড়ী হইতে লোহা পিটানর শব্দ উঠিল টন্ টন্ টন্, কুমার বাড়ীর চাক ঘুরিতে লাগিল ভোঁ ভোঁ ভোঁ, তাঁতীর তাঁত চলিতে লাগিল ঠকাঠক্ ঠকাঠক্, কাঠুরিয়া কাঠ কাটিতে লাগিল ঠক্-ঠক্-ঠক্-ঠক্, পণ্ডিত অধ্যয়ন আরম্ভ করিলেন, চিকিৎসক রোগীর সেবায় বাহির হইয়া গেলেন।

জগতের দিকে দিকে কর্ম আরম্ভ হইয়া গেল।

এই তো প্রভাত ! একবার চক্ষু মেলিয়া চাও। একবার প্রভাত সূর্যের উদয় দেখ। যিনি সৃষ্টিকর্তা, তোমাকে আমাকে ঐ সূর্যকে

174

এবং এই বিশ্বজগৎকে সৃষ্টি করিয়াছেন, যিনি জন্মিবার পূর্ব্বে মাতার বক্ষে ক্ষীর সুধা সঞ্চিত করিয়া রাখিয়াছেন, তাঁহার মহিমা বুঝিতে পারিবে। তিনি অন্ধকারের আলোক, ক্ষুধার অন্ন ও তৃষ্ণার সৃষ্টি করিয়াছেন। তিনি নানা শোভার সামগ্রী দিয়া জগৎ সাজাইয়াছেন। তিনি মানুষের অন্তরে স্নেহ, প্রেম, দয়া ও ভক্তি দিয়াছেন। অনন্ত তাঁহার প্রেম, অসীম তাঁহার করুণা! প্রার্থনা কর, এই প্রভাতের ফুলটির মত তোমারও যেন ঈশ্বরের চরণে পরিপূর্ণ হইয়া বিকশিত হইতে পার।

Poetry

সবারে বাসরে ভাল

সবারে বাসরে ভাল ;
নইলে মনের কালো ঘুচবে না রে !
আছে তোর যাহা ভাল
ফুলের মত দে সবারে ।

　　করি তুই আপন-আপন,
　　হারালি যা ছিল আপন ;
　　এবার তোর ভরা আপণ
　　বিলিয়ে দে তুই যারে তারে ।

যারে তুই ভাবিস্ ফণী
তারো মাথায় আছে মণি
বাজা তোর প্রেমের বাঁশী,
ভবের বনে ভয় বা কারে !

　　সবাই যে তোর মায়ের ছেলে
　　রাখ্‌বি কারে কারে ফেলে !
　　একই নায়ে সকল ভায়ে
　　যেতে হবে রে ওপারে ।

　　　　　　　— অতুলপ্রসাদ সেন

176

প্রার্থনা

বিপদে মোরে রক্ষা করো
এ নহে মোর প্রার্থনা,
বিপদে আমি না যেন করি ভয়।
দুঃখতাপে ব্যথিত চিতে
নাই বা দিলে সান্ত্বনা,
দুঃখে যেন করিতে পারি জয়।

সহায় মোর না যদি জুটে,
নিজের বল না যদি টুটে,
সংসারেতে ঘটিলে ক্ষতি
লভিলে শুধু বঞ্চনা
নিজের মনে না যেন মানি ক্ষয়।

আমারে তুমি করিবে ত্রাণ
এ নহে মোর প্রার্থনা,
তরিতে পারি শকতি যেন রয়।

আমার ভার লঘেব করি
নাই বা দিলে সান্ত্বনা
বহিতে পারি এমনি যেন হয়।
নম্র শিরে সুখের দিনে
তোমারি মুখ লইব চিনে,
দুঃখের রাতে নিখিল ধরা
যেদিন করে বঞ্চনা
তোমারে যেন না করি সংশয়।

—রবীন্দ্রনাথ ঠাকুর

বাংলা দেশ

কোন্ দেশেতে তরুলতা—
>
> সকল দেশের চাইতে শ্যামল ?

কোন্ দেশেতে চলতে গেলেই
>
> দলতে হয়রে দূর্বা কোমল ?

কোথায় ফলে সোনার ফসল—
>
> সোনার কমল ফোটে রে !

সে আমাদের বাংলা দেশ,
>
> আমাদেরি বাংলা রে !

> কোথায় ডাকে দোয়েল শ্যামা—
>
> > ফিঙে নাচে গাছে গাছে ?
>
> কোথায় জলে মরাল চলে—
>
> > মরালী তার পাছে পাছে ?
>
> বাবুই কোথায় বাসা বোনে—
>
> > চাতক বারি যাচে রে ?
>
> সে আমাদের বাংলাদেশ,
>
> > আমাদেরি বাংলা রে !

কোন্ ভাষা মরমে পশি'—
>
> আকুল করি তোলে প্রাণ ?

কোথায় গেলে শুনতে পাব
>
> বাউল সুরে মধুর গান ?

চণ্ডীদাসের রামপ্রসাদের
কণ্ঠ কোথায় বাজে রে ?
সে আমাদের বাংলাদেশ
আমাদেরি বাংলা রে !
কোন দেশের দুর্দশায় মোরা
সবার অধিক পাইরে দুখ ?
কোন্ দেশের গৌরবের কথায়
বেড়ে ওঠে মোদের বুক ?
মোদের পিতৃ-পিতামহের
চরণধুলি কোথা রে ?
সে আমাদের বাংলাদেশ
আমাদেরি বাংলা রে !

—সত্যেন্দ্রনাথ দত্ত

ভারত তীর্থ

হে মোর চিত্ত, পুণ্যতীর্থে জাগো রে ধীরে
এই ভারতের মহামানবের সাগরতীরে।
হেথায় দাঁড়ায়ে দুবাহু বাড়ায়ে নমি নরদেবতারে,
উদার ছন্দে পরমানন্দে বন্দনা করি তাঁরে।
ধ্যানগম্ভীর এই-যে ভূধর, নদী-জপমালা-ধৃত-প্রান্তর
হেথায় নিত্য হেরো পবিত্র ধরিত্রীরে
এই ভারতের মহামানবের সাগরতীরে॥

কেহ নাহি জানে, কার আহ্বানে কত মানুষের ধারা
দুর্বার স্রোতে এল কোথা হতে, সমুদ্র হল হারা।
হেথায় আর্য, হেথা অনার্য, হেথায় দ্রাবিড় চীন—
শক-হুন-দল পাঠান মোগল এক দেহে হল লীন!
পশ্চিম আজি খুলিয়াছে দ্বার, সেথা হতে সবে আনে উপহার
দিবে আর নিবে, মিলাবে মিলিবে, যাবে না ফিরে—
এই ভারতের মহামানবের সাগরতীরে।

× × ×

এসো হে আর্য, এসো অনার্য, হিন্দু মুসলমান—
এসো এসো আজ তুমি ইংরাজ, এসো এসো খৃষ্টান।
এসো ব্রাহ্মণ, শুচি করি মন ধরো হাত সবাকার—
এসো হে পতিত করো অপনীত সব অপমানভার।
মার অভিষেকে এসো এসো ত্বরা, মঙ্গলঘট হয়নি যে ভরা
সবার-পরশে-পবিত্র-করা তীর্থনীরে—
আজি ভারতের মহামানবের সাগরতীরে॥

—রবীন্দ্রনাথ ঠাকুর

চল্ চল্ চল্

[কোরস্]

চল্ চল্ চল্ !
ঊর্ধ্ব গগনে বাজে মাদল
নিম্নে উতলা ধরণীতল,
অরুণ প্রাতের তরুণ দল

    চল্‌রে চল্‌রে চল্
      চল্ চল্ চল্ ।
        ঊষার দুয়ারে হানি' আঘাত
        আমরা আনিব রাঙা প্রভাত,
        আমরা টুটাব তিমির রাত
          বাধার বিন্ধ্যাচল ।

নবজীবনের গাহিয়া গান
সজীব করিব মহাশ্মশান,
আমরা দানিব নতুন প্রাণ

    বাহুতে নবীন বল !
      চল্‌রে নও-জোয়ান
      শোন্‌রে পাতিয়া কান—
      মৃত্যু-তোরণ দুয়ারে দুয়ারে
        জীবনের আহ্বান,

    ভাঙ্‌রে ভাঙ আগল,
      চল্‌রে চল্‌রে চল্
        চল্ চল্ চল্ ।

           —কাজী নজরুল ইসলাম

সকল দেশের সেরা

ধন ধান্যে পুষ্পে ভরা আমাদের এই বসুন্ধরা,
তাহার মাঝে আছে দেশ এক সকল দেশের সেরা।
ও যে স্বপ্ন দিয়ে তৈরি সে দেশ স্মৃতি দিয়ে ঘেরা।
এমন দেশটি কোথাও খুঁজে পাবে নাকো তুমি।
সকল দেশের রাণী সে যে আমার জন্মভূমি ॥

চন্দ্র সূর্য গ্রহ তারা কোথায় এমন উজল ধারা,
কোথায় এমন খেলে তড়িৎ এমন কালো মেঘে।
সেথা পাখির ডাকে ঘুমিয়ে উঠি পাখির ডাকে জেগে।
এমন দেশটি কোথাও খুঁজে .... ॥

এমন স্নিগ্ধ নদী কাহার, কোথায় এমন ধূম্র পাহাড়।
কোথায় এমন হরিৎ ক্ষেত্র আকাশ তলে মেশে।
এমন ধানের উপর ঢেউ খেলে যায় বাতাস কাহার দেশে।
এমন দেশটি কোথাও খুঁজে ... ... ॥

পুষ্পে পুষ্পে ভরা শাখী, কুঞ্জে কুঞ্জে গাহে পাখি,
গুঞ্জরিয়া আসে অলি পুঞ্জে পুঞ্জে ধেয়ে,
তারা ফুলের উপর ঘুমিয়ে পড়ে ফুলের মধু খেয়ে।
এমন দেশটি কোথাও খুঁজে ... ... ॥

ভায়ের মায়ের এত স্নেহ কোথায় গেলে পাবে কেহ,
ওমা তোমার চরণ দু'টি বক্ষে আমার ধরি,
আমার এই দেশেতে জন্ম, যেন এই দেশেতেই মরি।
এমন দেশটি কোথাও খুঁজে পাবে নাকো তুমি।
সকল দেশের রাণী সে যে আমার জন্মভূমি ॥

— দ্বিজেন্দ্রলাল রায়

LESSON 24

How to write letters in Bengali

(পত্র-লিখন পদ্ধতি)

Specimens of letters
Son's letter to his father.

৭৫, একডালিয়া রোড,
কলিকাতা—২৯

শ্রীচরণকমলেষু—

বাবা, অনেক দিন পর্যন্ত তোমাদের কোন সংবাদ না পাইয়া চিন্তিত আছি। পত্র পাওয়া মাত্র সকলের কুশল সংবাদ জানাইয়া নিশ্চিন্ত করিও। মা ও দাদাকে আমার প্রণাম দিও। আমি মন দিয়া পড়াশুনা করিতেছি। পূজার ছুটিতে এবার বাড়ী যাইতে পারিব না, কেননা, তাহাতে পড়াশুনার ক্ষতি হইবে। বাৎসারিক পরীক্ষার পর ডিসেম্বর মাসে অল্প কয়েক দিনের জন্য একবার যাইতে পারি। তোমাদের জন্য মন কেমন করে। মলিনা ও মিহিরকে আমার স্নেহ জানাইও। তুমি আমার ভক্তিপূর্ণ প্রণাম গ্রহণ করিও। ইতি

প্রণত
দেবাশীষ

শ্রীশ্রীপিতৃদেবের শ্রীচরণকমলেষু
c/o শ্রীযুক্ত রামগোপাল বসু
পোঃ—বেলানগর
জেলা—হাওড়া,

A letter from an elder brother to a younger one,

যাদবপুর

১৩ই ফাল্গুন, ১৩৮৪

কল্যাণীয়েষু —

স্নেহের রাম,

তোমার ঠিক ঠিক সময়ে পেয়েছি। তুমি পরীক্ষায় দ্বিতীয় হয়েছ জেনে খুব খুশী হলাম। সামনের বছর যাতে প্রথম হতে পার সেই চেষ্টা করো। তোমার পরীক্ষার খবর শুনে মা ভারি আনন্দ পেয়েছেন। কাল তিনি মন্দিরে পূজো দিয়ে এসেছেন।

২।১ দিনের মধ্যেই তোমাকে ৫০/ টাকা পাঠাব। স্কুলের মাইনে দিয়ে দিও। আর যা দু-একখানা বই কিনতে বাকী আছে তা কিনে নিও।

মা ভাল আছেন। ছোটরা সবাই তোমার জন্য অস্থির। মিন্টু, পন্টু ও সোমা কেবলই তোমার কথা বলে। গরমের ছুটিতে এসো।

আশীর্বাদ নিও। হস্টেলের অন্যান্য বন্ধুদের সঙ্গে মিলে-মিশে সাবধানে থেকো। ইতি

তোমার দাদা।

শ্রীমান রামগোপাল বসু
স্কুল বোর্ডিং, যাদবপুর উচ্চ বিদ্যালয়
কলিকাতা

A letter to a Book-seller.

পোঃ+গ্রাম - নবগ্রাম
জেলা—হুগলী
২০-৭-৭৮

মহাশয়,

অনুগ্রহপূর্বক নিম্নলিখিত পুস্তকগুলি যথাসত্বর ভি. পি. ডাকযোগে নিম্ন ঠিকানায় পাঠইয়া বাধিত করিবেন। আপনাদের দেকানের একটি পুস্তকের তালিকাও এই সঙ্গে পাঠাইবেন। ইতি

ভবদীয়
শ্রীরমাপ্রসাদ চক্রবর্তী

পুস্তকের নাম

1. Learn Hindi in a month.
2. Learn Gujarati in a month.
3. Learn English in a month.
4. Learn Marathi in a month.
5. Learn Bengali in a month.
6. Learn Tamil in a month.
7. Learn Malayalam in a month.

Read Well Publications

Vocabulary

অংশ part
অংশীদার partner
অকপট sincere
অকর্মণ্য useless
অকলঙ্ক stainless
অকস্মাৎ suddenly
অকাতরে gladly
অক্লান্ত unworried
অক্ষত a letter of alphabet
অখণ্ড unbroken
অগণিত innumerable
অগাধ bottomless
অগ্নি fire
অঙ্ক sum
অঙ্গ limb, body
অঙ্গার charcoal

অচল not moving
অচিরে soon
অচেতন inanimate
অচৈতন্য unconscious
অজানা unknown
অজীর্ণ indigestion
অণু atom
অণুবীক্ষণ microscope
অণ্ড egg
অতঃপর henceforth
অতিথি guest
অতিরিক্ত too much
অতুলনীয় incomparable
অত্যাচার oppression
অত্যাবশ্যক very important
অত্যাশ্চর্য very surprising

অথবা or, otherwise

অদৃশ্য invisible

অদৃষ্ট unseen, fate

অদ্য, আজ today

অধীন dependent

অধীনতা dependent

অধুনা now a days

অধ্যাপক professor

অনন্ত endless

অনবরত incessant

অনশন fasting

অনাথ o:phan

অনুকূল favou able

অনুচর follower

অনুজ younger brother

অনুবাদ translation

অনুভব feeling

অনুরোধ request

অনুসন্ধান enquiry

অন্ধ blind

অন্ধকার darkness

অন্ন food, rice

অন্যায় injustice

অন্বেষণ search

অপদার্থ worthless

অপমান insult

অপব্যয় prodigality

অপব্যয়ী prodigal

অভদ্র uncivil

অভিধান dictionary

অভিনন্দন congratulation

অভিনয় acting

অভিশাপ curse

অমূল্য invaluable

অম্বল acid, sour

অর্থাৎ that is (i.e.)

অলঙ্কার ornament, rhetoric

অল্প a little

অবলম্বন support

অবসর opportunity

অবৈতনিক free, honorary

অশ্রু tear

অশ্লীল vulgar

অশ্ব horse

অসংখ্য countless
অসমর্থ unable
অসমাপ্ত incomplete
অসম্মান insult
অসহিষ্ণু impatient
অসহ্য unbearable
অসুবিধা disadvantage
অস্পৃশ্য untouchable
অস্ত্র weapon
অস্থি bone
অহঙ্কার pride
অহিংসা non-violence
আকর্ষণ attraction
আকস্মিক sudden
আকাশ sky
আগন্তুক stranger
আগামী coming
আগুন fire
আঘাত stroke
আঙ্গুর grape
আঙ্গুল finger
আচরণ conduct
আচার্য spiritual guide
আজ today
আতঙ্ক panic
আত্মহত্যা suicide
আত্মা self, soul
আত্মীয় relation
আদেশ command
আদৌ at all
আনন্দ cheerfulness
আনা to bring
আনারস pineapple
আফিং opium
আবশ্যক necessary
আবহাওয়া climate
আবিষ্কার discovery
আমোদ-প্রমোদ amusement
আরাম comfort
আরোগ্য recovery
আলস্য idleness
আলো light
আশা hope
আশীর্বাদ blessing

আশ্চর্য wonder
আশ্রম hermitage
আসন্ন impending
আসল real
আস্বাদ taste
আহ্লাদ gladness
আহ্বান call
ইচ্ছা desire
ইট brick
ইত্যাদি etc. (et cetra)
ইশারা hint
ঈর্ষা jealousy
ঈশ্বর God
উকিল pleader
উকুন louse
উচিত proper, just
উচ্চ high
উচ্চারণ pronunciation
উজ্জ্বল luminous
উত্তর reply
উৎসর্গ sacrifice
উদাহরণ example
উদ্দেশ্য aim
উন্মাদ mad
উপকার benefit
উপদেশ advice
উপন্যাস novel
উপর upon, on
উপবাস fasting
উপসংহার conclusion
উপাধি degree
উপায় means
উপার্জন earning
ঋন loan
ঋষি saint
এই this
এক one
এখন now
ঔষধ medicine
কথা speech
কথোপকথন dialogue
করুন pathetic
করুনা mercy
কর্ণ, কান ear

কলম pen graft
কলা art, plantain
কল্যাণ welfare
কষ্ট difficulty, trouble
কাচ glass
কাঁদা weep
কাগজ paper
কাটা to cut
কাঠ wood
কাপড় cloth
কামড় bite
কাল time
কালো black
কিছু a little
কুকুর dog
কুমার an unmarried boy
কুমারী an unmarried girl
কুমার potter
কুমীর crocodile
কৃতজ্ঞ grateful
কৃতঘ্ন ungrateful
কেন why
কেন্দ্র centre
কেরাণী clerk
কোণ corner
কোল lap
কৌশল skill
ক্রোধ, রাগ anger
ক্ষুধা hunger
ক্ষুধার্ত hungry
খরগোস hare
খাওয়া to eat
খরচ expense
খারাপ bad
খাল canal
খেলা play
খোজ search
গগন sky
গজ elepant, ya d
গণনা counting
গদ্য prose
গন্ধ scent
গভীর deep
গরীব poor

গরু cow
গর্জন roaring
গর্ব pride
গলা neck, dissolved
গল্প story
গবেষণা research
গাছ tree
গাড়ী carriage
গাধা ass
গান song
গায়ক singer
গাল cheek
গালি rebuke
গুড় molasses
গুণ qualification, virtue
গুরু spiritual guide
গৃহ house
গোপন secret
গোবর cow-dung
গোয়েন্দা spy
গোল round
গোলমাল noise

গোলাপ rose
গ্রাম village
ঘটনা occurrence
ঘড়ি watch
ঘণ্টা bell, hour
ঘন thick
ঘর house
ঘা ulcer, hit
ঘানি oilpressing instru-
                          ment
ঘাস grass
ঘি ghee, clarified butter
ঘুম sleep
ঘৃণা hatred
ঘোড়া horse
চন্দ্র, চাঁদ moon
চবি tallow
চা tea
চাউল rice
চাকর servant
চাকরি service
চামড়া skin

চারা plant
চালাক clever
চিকিৎসা treatment
চিঠি letter
চিত্র picture
চিনি sugar
চিরুণী comb
চিহ্ন sign, symbol
চুম্বন kiss
চুরি theft
চুরি করা to steal
চুল hair
চোখ, চক্ষু eye
ছাদ roof
ছাগল goat
ছাতা umbrella
ছুতার carpenter
ছেলে boy, son
ছোট small
জঙ্গল jungle
জনরব rumour
জন্ম birth

জয় victory
জল water
জাতি nation
জানা to know
জাহাজ steamer, ship
জিজ্ঞাসা enquiry, asking
জিনিস thing, goods
জিহ্বা tongue
জীবন life
জীবিত living, alive
জীবিকা livelihood
জুতা shoe
জ্ঞান knowledge
ঝগড়া quarrel
ঝড় storm
ঝাল pungent
টক sour
টাক baldness
টাকা money, rupee
টাট্কা fresh
টানা to pull
টুপি hat, cap

ঠক্ cheat, sharper	থালা dish
ঠাণ্ডা cool, cold	দড়ি rope
ঠিকানা address	দণ্ড punishment, rod
ঠেলা to push	দধি, দই curd
ডাকা to call	দন্ত, দাঁত tooth
ডিম egg	দয়া, কৃপা compassion
ডুবা to sink	দল party, band
ঢাকা to cover	দাঁড়ান to stand
ঢাল shield	দান gift
ঢালা to pour	দাম price, value
তখন then	দিক direction
তথাপি yet	দিন day
তদন্ত investigation	দীপ lamp
তরল liquid	দুধ milk
তরুণ young	দুর্বল weak
তাঁত loom	দেখা to see
তাঁতী weaver	দেহ body
তালা lock	দোকান shop
তুলা cotton	দোষ fault
তেল oil	দৌড়ান to run
থাকা to stay	ধন wealth
থামা to stop	ধরা to catch

193

ধর্ম religion
ধুলা dust
ধৈর্য patience
ধোপা washerman
নকল copy
নখ nail
নগর city
নদী river
নাচা to dance
নাড়া to move to shake
নাড়ী pulse
নামা name
নামা to descend
নারী woman
নিদ্রা sleep
নিন্দা censure
নিপুণ skilful
নিয়ম rule
নিষেধ prohibition
নিষিদ্ধ forbidden
নীচ low, mean
নীল blue, indigo

নৌকা boat
পক্ষী bird
পচা rotten
পড়া to read, to fall
পতাকা flag
পতি master, husband
পত্র leaf, letter
পথ path, way
পদ foot
পরিশ্রম labour
পরিষ্কার clear, clean
পরীক্ষা examination
পর্বত mountain
পবিত্র pure
পশম wool
পশু beast
পাওয়া to get
পাকা ripe
পাখা wing, fan
পাখী bird
পাগল mad
পাঠ lesson

পাতা leaf	ফল fruit
পাপ sin	ফুল flower
পাহাড় hill	বড় big, great
পিঠ back	বন forest
পিতা father	বনিয়াদ base
পিপাসা thirst	বন্ধু friend
পুকুর pond	বয়স age
পুণ্য holy	বরাবর all along
পুতুল doll	বল strength
পুরাতন old	বলা to stay
পুরুষ man, male	বসা to sit down
পুস্তক book	বাঁধা to bind
পূজা worship	বাগান garden
পূর্ণ complete, entire, full	বাবা papa, father
পূর্ব previous	বায়ু, বাতাস air
পৃথক separate	বালক boy
পেট belly	বালি sand
পেশা trade, profession	বালিকা girl
পোড়া to burn	বিকাশ development
প্রকৃতি nature	বিজ্ঞান science
প্রতিজ্ঞা promise	বিড়াল cat
প্রদেশ province	বিদেশ foreign land

195

বিনীত obedient
বিবাহ marriage
বিশ্রাম rest
বিষ poison
বীজ seed
বৃক্ষ, গাছ tree
ভগিনী sister
ভদ্র gentle
ভয় fear
ভাল good
ভালবাসা love
ভাষা language
ভাসা to float
ভিক্ষা alms
ভিজা wet
ভিতর inside
ভুল error, mistake
ভূমি land
ভেড়া sheep
ভোলা to forget
মত opinion
মদ wine
মধু honey
মন mind
মন্ত্রী minister
মন্দ bad
মন্দির temple
ময়দান meadow
ময়লা dirt
মরা to die
মশা mosquito
মস্তিক brain
মহান great
মহাশয় sir
মহিষ buffallo
মাংস flesh
মাছ fish
মাছি fly
মাটি earth
মাঠ field
মা, মাতা mother
মাত্র only
মাথা head
মানসিক mental

মাপ measurement	যৌবন youth
মাফ excuse	রক্ত blood
মালা garland	রক্ষা protection
মাস month	রং colour
মিথ্যা lie, false	রন্ধন cooking
মিষ্ট, মিঠা sweet	রপ্তানী export
মুখ mouth	রমণী woman
মুখমণ্ডল face	রমণীয় pleasant
মুচি cobbler	রশ্মি ray
মুদি grocer	বাঁধা to cook
মুরগী hen	রাখা to keep
মুহূর্ত moment	রাজা king
মূর্খ fool	রাজনীতি politics
যখন root	রাজ্য state
যজ্ঞ sacrifice	রাত, রাত্রি night
যত্ন care, comfort	রুটি bread
যদি if	রেখা line
যন্ত্র machine	রেলগাড়ী train
যাওয়া to go	রোগ disease
যুদ্ধ war	রোজ daily
যুবক young	রোদ sunlight
যৌন sexual	লওয়া to take

লক্ষ্য aim
লজ্জা shame
লতা creeper
লবণ salt
লম্বা long, tall
লাঙ্গল plough
লাঠি stick
লাথি kick
লাফ jump
লাভ gain, profit
লিখা to write
লিখিত written
লুকান to hide
লেখক writer
লেজ tail
লেবু lemon
লোহা iron
শক্ত hard
শক্তি strength
শত্রু enemy
শব্দ sound, word
শয়ন lying
শরীর body
শস্য grain
শাক-সব্জি vegetable
শান্তি peace
শাপ curse
শাসন rule
শিকড় root
শিকল chain
শিকার hunting
শিকারী hunter
শিল্প arts and crafts
শিশু child
শিষ্য disciple
শীত cold
শীতকাল winter
শুকান to dry
শুদ্ধ pure
শুনা to hear
শুভ auspicious
শূকর boar
শূন্য empty, zero
শৃগাল jackal

শেষ end, last
শোঁকা to smell
শোক lamentation, grief
শ্বশুর father-in-law
শাশুড়ী mother-in-law
ষষ্ঠ sixth
সংক্রামক infectious
সংখ্যা number
সংগ্রহ collection
সংজ্ঞা definition, sense
সংবাদ news
সংযম restraint
সকল all
সংকল্প vow, determination
সতের seventeen
সত্তর sevety
সত্য truth
সদস্য member
সন্দেহ suspicious
সন্ধ্যা evening
সভা meeting
সভ্য civilized, member

সমগ্র entire
সময় time
সমস্যা problem
সমান equal
সমাপ্ত finished, complete
সমালোচনা criticism, review
সমুদ্র ocean
সম্পত্তি property
সম্পাদক editor, secretary
সম্প্রদায় sect, community
সম্বন্ধ relation
সম্মান honour
সর্বদা always
সরল straight, sincere
সহজ easy
সহসা suddenly
সহস্র thousand
সাক্ষী witness
সাগর ocean
সাত seven
সাধারণ common, ordinary
সাপ snake

সাবধান careful
সাময়িক temporary
সামরিক military
সামাজিক social
সাল year
সাহস courage
সাহসী brave
সাহায্য help
সাহিত্য literature
সিংহ lion
সুখ happiness
সুন্দর beautiful
সূচ needle
সূতা thread
সূর্য sun
সৃষ্টি creation
সেবক servant, worker
সেবা service
সেলাই sewing
সৈন্য soldier

সোনা gold
স্তন nipple, breast
স্ত্রী woman, wife
স্থান place
হওয়া to be
হজম digestion
হঠাৎ suddenly
হরিণ deer
হাওয়া air
হাঁটা to walk
হাজার thousand
হাড় bone
হাত hand
হাতী elephant
হাল plough
হাসি laugh
হিংসা violence, malice
হিত welfare
হৃদয় heart
হ্রদ lake